献给我的父亲、母亲和兄弟们

目送

龙应台◎著

生活·讀書·新知三联书店

图书在版编目（CIP）数据

目送／龙应台著．—北京：生活 · 读书 · 新知三联书店，
2009.9 （2009.11 重印）（2009.12 重印）（2010.2 重印）
（2010.3 重印）（2010.6 重印）（2010.8 重印）（2010.9 重印）
ISBN 978－7－108－03291－1

Ⅰ．目… Ⅱ．龙… Ⅲ．散文－作品集－中国－当代
Ⅳ．I267

中国版本图书馆 CIP 数据核字（2009）第 130425 号

责任编辑 张 荷
装帧设计 蔡立国
责任印制 常宁强
出版发行 生活 · 讀書 · 新知 三联书店
（北京市东城区美术馆东街 22 号）
邮 编 100010
图 字 01－2009－4938
经 销 新华书店
印 刷 北京盛通印刷股份有限公司
版 次 2009 年 9 月北京第 1 版
2010 年 9 月北京第 9 次印刷
开 本 720 毫米 × 965 毫米 1／16 印张 18.5
印 数 359,001－454,500 册
定 价 39.00 元

目录

II 沙上有印，风中有音，光中有影

III　满山遍野茶树开花

[代序] 你来看此花时

1

整理卧房抽屉的时候，突然发现最里头的角落里有个东西，摸出来一看，是个红色的盒子。

这一只抽屉，塞满了细软的内衣、手绢、丝袜，在看不见的地方却躲着一个盒子，显然是有心的密藏，当然是自己放的，但是，藏着什么呢？

打开盒盖，里头裹着一方黑色缎巾，缎巾密密包着的，是两条黄金项链，放在手心里沉沉的；一个黄金戒指、一对黄金耳环，一只黄金打出的雕花胸针。黄澄澄的亮彩，落在黑色缎面上，像秋天的一撮桂花。

我记得了。

她是个一辈子爱美、爱首饰的女人。那一天晚上，父亲在医院里，她把我叫到卧房里，拿出这一个盒子，把首饰一件一件小心地放进去，说："给你。"

我笑着推开她的手："妈，你知道我不戴首饰的。你留着用。"

她停下来，看着我，一时安静下来。

我倒是看了看她和父亲的大床，空着——父亲不知还回不回得来。床头墙上挂着从老家给他们带来的湘绣。四幅并排，春兰、夏荷、秋菊、冬梅，淡淡的绯红黛青压在月白色的丝绸上，俯视着一张铺着凉席的双人床。天花板垂下来的电扇微微吹着，发出清风的声音。这房间，仍旧一派岁月绵长、人间静好的气氛。

她幽幽地说话了："女儿，与其到时候不知道东西会流落到哪里，不如现在清清醒醒地交给你吧。"

她把盒子放在我手心，然后用两只手，一上一下含着我的手，眼睛却望向灰淡的窗外，不再说话。

把盒子重新盖上，放回抽屉里层，我匆匆走到客厅，拿起电话，拨她的号码；接通了，铃声响起，我持着听筒走到面海的阳台，夕阳正在下沉，海水如万片碎金动荡闪烁。直直看出去，越过海洋越过山屿越过云层，一重一重飞越的话，应该是澳门，是越南，是缅甸，再超越就是印度，就是非洲了。台湾在日出的那头，其实是我站在阳台怎么都看不见的另一边。我握紧听筒，对着金色的渺茫，仿佛隔海呼喊："是我，小晶，你的女儿——你记得吗？"

2

我喜欢走路。读书写作累了，就出门走路。有时候，约个可爱的人，两个人一起走，但是两个人一起走时，一半的心在那人身上，只有一半的心，在看风景。

要真正地注视，必须一个人走路。一个人走路，才是你和风景之间的单独私会。

我看见早晨浅浅的阳光里，一个老婆婆弓着腰走下石阶，上百层的宽阔石阶气派万千，像山一样高，她的身影柔弱如稻草。

我看见一只花猫斜躺在一截颓唐废弃的断墙下，牵牛花开出一片浓青艳紫缤纷，花猫无所谓地伸了伸懒腰。

夜色朦胧里，我看见路灯，把人行道上变电箱的影子胡乱射在一面工地白墙上，跟路树婆娑的枝影虚实交错掩映，看起来就像罗密欧对着朱丽叶低唱情歌的那个阳台。

我看见诗人周梦蝶的脸，在我挥手送他的时候，刚好嵌在一扇开动的公交车的小窗格里，好像一整辆车，无比隆重地，在为他作相框。

我看见停在凤凰树枝上的蓝鹊，它身体的重量压低了缀满凤凰花的枝丫。我看见一只鞋般大小的渔船，不声不响出现在我左边的窗户。

我是个摄影的幼儿园大班生，不懂得理论也没学过操作，但是跟风景约会的时间长了，行云流水间，万物映在眼底，突然悟到：真正能看懂这世界的，难道竟是那机器，不是你自己的眼睛、自己的心？

“你未看此花时，此花与汝同归于寂；你来看此花时，则此花颜色一时明白起来，便知此花不在你的心外。”

这世间的风景于我的心如此“明白”，何尝在我“心外”？相机，原来不那么重要，它不过是我心的批注，眼的旁白。于是把相机放进走路的背包里，随时取出，作“看此花时”的心笔记。

每一个被我“看见”的瞬间刹那，都被我采下，而采下的每一个当时，我都感受到一种“美”的逼迫，因为每一个当时，都稍纵即逝；稍纵，即逝。

3

在中国台湾、香港，新、马和美国，流传最广的，是《目送》。很多人说，邮箱里起码收到十次以上不同的朋友转来这篇文章。在大陆，点击率和流传率最高的，却是另一篇，叫做《（不）相信》。

是不是因为，对于台湾和海外的人，“相信”或“不相信”已经不是切肤的问题，反倒个人生命中最私密、最深埋、最不可言喻的“伤逝”和“舍”，才是刻骨铭心的痛？是不是因为，在大陆的集体心灵旅程里，一路走来，人们现在面对的最大关卡，是“相信”与“不相信”之间的困惑、犹豫，和艰难的重新寻找？

很难说。每个人，来到“花”前，都看见不一样的东西，都得到不一样的“明白”。

对于行路的我而言，曾经相信，曾经不相信，今日此刻也仍旧在寻找相信。但是面对时间，你会发现，相信或不相信都不算什么了。因此，整本书，也就是对时间的无言，对生命的目送。

4

真的，不好说。

I

有些路啊，只能一个人走

我慢慢地、慢慢地了解到，所谓父女母子一场，只不过意味着，你和他的缘分就是今生今世不断地在目送他的背影渐行渐远。

目 送

华安上小学第一天，我和他手牵着手，穿过好几条街，到维多利亚小学。九月初，家家户户院子里的苹果和梨树都缀满了拳头大小的果子，枝丫因为负重而沉沉下垂，越出了树篱，钩到过路行人的头发。

很多很多的孩子，在操场上等候上课的第一声铃响。小小的手，圈在爸爸的、妈妈的手心里，怯怯的眼神，打量着周遭。他们是幼儿园的毕业生，但是他们还不知道一个定律：一件事情的毕业，永远是另一件事情的开启。

铃声一响，顿时人影错杂，奔往不同方向，但是在那么多穿梭纷乱的人群里，我无比清楚地看着自己孩子的背影——就好像在一百个婴儿同时哭声大作时，你仍旧能够准确听出自己那一个的位置。华安背着一个五颜六色的书包往前走，但是他不断地回头；好像穿越一条无边无际的时空长河，他的视线和我凝望的眼光隔空交会。

我看着他瘦小的背影消失在门里。

十六岁，他到美国做交换生一年。我送他到机场。告别时，照例拥抱，我的头只能贴到他的胸口，好像抱住了长颈鹿的脚。他很明显地在勉强忍受母亲的深情。

他在长长的行列里，等候护照检验；我就站在外面，用眼睛跟着他的背影一寸一寸往前挪。终于轮到他，在海关窗口停留片刻，然后拿回护照，闪入一扇门，倏忽不见。

我一直在等候，等候他消失前的回头一瞥。但是他没有，一次都没有。

现在他二十一岁，上的大学，正好是我教课的大学。但即使是同路，他也不愿搭我的车。即使同车，他戴上耳机——只有一个人能听的音乐，是一扇紧闭的门。有时他在对街等候公交车，我从高楼的窗口往下看：一个高高瘦瘦的青年，眼睛望向灰色的海；我只能想象，他的内在世界和我的一样波涛深邃，但是，我进不去。一会儿公交车来了，挡住了他的身影。车子开走，一条空荡荡的街，只立着一只邮筒。

我慢慢地、慢慢地了解到，所谓父女母子一场，只不过意味着，你和他的缘分就是今生今世不断地在目送他的背影渐行渐远。你站立在小路的这一端，看着他逐渐消失在小路转弯的地方，而且，他用背影默默告诉你：不必追。

我慢慢地、慢慢地意识到，我的落寞，仿佛和另一个背影有关。

博士学位读完之后，我回台湾教书。到大学报到第一天，父亲用他那辆运送饲料的廉价小货车长途送我。到了我才发觉，他没开到大学正门口，而是停在侧门的窄巷边。卸下行李之后，他爬回车内，准备回去，明明启动了引擎，却又摇下车窗，头伸出来说："女儿，爸爸觉得很对不起你，这种车子实在不是送大学教授的车子。"

我看着他的小货车小心地倒车，然后"噗噗"驶出巷口，留下一团黑烟。直到车子转弯看不见了，我还站在那里，一口皮箱旁。

每个礼拜到医院去看他，是十几年后的时光了。推着他的轮椅散步，他的头低垂到胸口。有一次，发现排泄物淋满了他的裤腿，我蹲下来用自己的手帕帮他擦拭，裙子也沾上了粪便，但是我必须就这样赶回台北上班。护士接过他的轮椅，我拎起皮包，看着轮椅的背影，在自动玻璃门前稍停，然后没入门后。

我慢慢地、慢慢地了解到，所谓父女母子一场，只不过意味着，你和他的缘分就是今生今世不断地在目送他的背影渐行渐远。

我总是在暮色沉沉中奔向机场。

火葬场的炉门前，棺木是一只巨大而沉重的抽屉，缓缓往前滑行。没有想到可以站得那么近，距离炉门也不过五米。雨丝被风吹斜，飘进长廊内。我掠开雨湿了前额的头发，深深、深深地凝望，希望记得这最后一次的目送。

我慢慢地、慢慢地了解到，所谓父女母子一场，只不过意味着，你和他的缘分就是今生今世不断地在目送他的背影渐行渐远。你站立在小路的这一端，看着他逐渐消失在小路转弯的地方，而且，他用背影默默告诉你：不必追。

雨 儿

我每天打一通电话，不管在世界上哪个角落。电话接通，第一句话一定是：“我——是你的女儿。”如果是越洋长途，讲完我就等，等那六个字穿越渺渺大气层进入她的耳朵，那需要一点时间。然后她说：“雨儿？我只有一个雨儿。”

“对，那就是我。”

“喔，雨儿你在哪里？”

“我在香港。”

“你怎么都不来看我，你什么时候来看我？”

“我昨天才去看你，今早刚离开你。”

“真的？我不记得啊。那你什么时候来看我？”

“再过一个礼拜。”

“你是哪一位？”

“我是你的女儿。”

“雨儿？我只有一个雨儿啊。你现在在哪里？”

“我在香港。”

“你怎么都不来看我，你什么时候来看我？”……

到潮州看她时，习惯独睡的我就陪她睡。像带孩子一样把被子裹好她的身体，放周璇的《天涯歌女》，把灯关掉，只留下洗手间的小灯，然后在她身边躺下。等她睡着，再起来工作。

天微微亮，她轻轻走到我身边，没声没息地坐下来。年老的女人都会这样吗？身子愈来愈瘦，脚步愈来愈轻，声音愈来愈弱，神情愈来愈退缩，也就是说，人逐渐逐渐退为影子。年老的女人，都会这样吗？

我一边写，一边说："干嘛那么早起？给你弄杯热牛奶好吗？"

她不说话，无声地觑了我好一阵子，然后轻轻说："你好像我的雨儿。"

我抬起头，摸摸她灰白色稀疏的头发，说："妈，千真万确，我就是你的女儿。"

她极惊奇地看着我，大大地惊讶，大大地开心："就是说嘛，我看了你半天，觉得好像，没想到真的是你。说起来古怪，昨天晚上有个人躺在我床上，态度很友善，她也说她是我的雨儿，实在太奇怪了。"

"昨晚那个人就是我啊。"我把冰牛奶倒进玻璃杯中，然后把杯子放进微波炉。远处隐隐传来公鸡的啼声。

"那你又是从哪里来的呢？"她一脸困惑。

"我从台北来看你。"

"你怎么会从台北来呢？"她努力地想把事情弄清楚，接过热牛奶，继续探询，"如果你是我的雨儿，你怎么会不在我身边呢？你是不是我养大的？是什么人把你养大的呢？"

我坐下来，把她瘦弱的手捧在我掌心里，看着她。她的眼睛还是很亮，那样亮，在浅浅的晨光中，我竟分不清那究竟是她年轻时的锋芒余光，还是一层盈盈的泪光。于是我从头说起："你有五个儿女，一个留在大陆，四个在台湾长大。你不但亲自把每一个都养大，而且四个里头三个是博士，没博士的那个很会赚钱。他们全是你一手栽培的。"

眼里满是惊奇，她说："这么好？那……你是做什么工作的？今年几岁？结

第二站，搭公交车，红五号，从白云山庄上车。一路上樱花照眼，她静静看着窗外流荡过去的风景，窗玻璃映出她自己的颜容，和窗外的粉色樱花明灭掩映；她的眼神迷离，时空飘忽。

婚了没有？”

我们从盘古开天谈起，谈着谈着，天，一点一点亮起，阳光就从大武山那边照了进来。

有时候，女佣带着她到阳明山来找我。我就把时间整个调慢，带她“台北一日游”。第一站，洗温泉。泡在热气缭绕的汤里，她好奇地瞪着满堂裸身的女人目不转睛，然后开始品头论足。我快动作抓住她的手，才能阻止她伸手去指着一个女人，大声笑着说：“哈，不好意思啊，那个雨人好——肥喔。”

第二站，搭公交车，红五号，从白云山庄上车。一路上樱花照眼，她静静看着窗外流荡过去的风景，窗玻璃映出她自己的颜容，和窗外的粉色樱花明灭掩映；她的眼神迷离，时空飘忽。

到了士林站。我说：“妈，这是你生平第一次搭捷运，坐在这里，给你拍一张照片。”

她娴静地坐下，两手放在膝上。刚好后面有一丛浓绿的树，旁边坐着一个孤单的老人。

“你的雨儿要看见你笑，妈妈。”

她看着我，微笑了。我这才注意到，她穿着黑衣白领，像一个中学的女生。

十七岁

到剑桥演讲，华飞从德国飞来相会。希思罗机场到剑桥小镇还要两个半小时的巴士车程，我决定步行到巴士站去接他。细雨打在撑开的伞上，白色的鸽子从伞檐啪啪掠过。走过一栋又一栋十六世纪的红砖建筑，穿过一片又一片嫩青色的草坪，到了所谓巴士站，不过是一个小亭子，已经站满了候车躲雨的人。于是我立在雨中等。

两只鸳鸯把彼此的颈子交绕在一起，睡在树荫里。横过大草坪是一条细细的泥路，一排鹅，摇摇摆摆地往我的方向走来，好像一群准备去买菜的妈妈们。走近了，才赫然发现它们竟然不是鹅，是加拿大野雁，在剑桥过境。

接连来了好几班巴士，都是从希思罗机场直达剑桥的车，一个一个从车门钻出的人，却都不是他。伞的遮围太小，雨逐渐打湿了我的鞋和裤脚，寒意使我的手冰凉。等候的滋味——多久不曾这样等候一个人了？能够在一个陌生的小镇上等候一辆来自机场的巴士，里头载着自己十七岁的孩子，挺幸福。

他出来的时候，我不立即走过去，远远看着他到车肚子里取行李。十七岁的少年，儿童脸颊那种圆鼓鼓的可爱感觉已经被刀削似的线条所取代，棱角分明。他发现了我，望向我的眼睛既有感情却又深藏不露，很深的眼睛——我是如何清晰地还记得他婴儿时的水清见底的欢快眼睛啊。

我递过一把为他预备的伞,被他拒绝。“这么小的雨。”他说。“会感冒。”我说。“不要。”他说。细细的飘雨濡湿了他的头发。

我顿时失神；自己十七岁时，曾经多么强烈憎恶妈妈坚持递过来的雨伞。

放晴后，我们沿着康河散步。徐志摩的康河，原来是这种小桥流水人家的河，蜿蜒无声地汩汩穿过芳草和学院古堡。走到一条分支小溪沟，溪边繁星万点，葳蕤茂盛的野花覆盖了整个草原。这野花，不就是《诗经》里的“蘼芜”，《楚辞》里的“江离”？涉过浓密的江离，看见水光粼粼的小溪里，隐约有片白色的东西漂浮——是谁不小心落了一件白衬衫？

走近看，那白衬衫竟是一只睡着了的白天鹅，脖子蜷在自己的鹅绒被上，旁边一只小鸭独自在玩水的影子。我跪在江离丛中拍摄，感动得眼睛潮湿；华飞一旁看着我泫然欲泣的样子，淡淡地说：“小孩！”

到国王学院对面吃早餐，典型的“英式早餐”送来了：炒蛋、煎肉、香肠、蘑菇、烤番茄……又油又腻，我拿起刀叉，突然失声喊了出来：“我明白了。”

他看着我。

“原来，简单的面包果酱早餐称作‘欧陆’早餐，是相对于这种重量‘英国’早餐而命名的。”

他笑也不笑，说：“大惊小怪，你现在才知道啊。”

然后慢慢地涂果酱，慢慢地说：“我们不称英国人欧洲人啊，他们的一切都太不一样了，英国人是英国人，不是欧洲人。”

走到三一学院门口，我指着一株瘦小的苹果树，说：“这号称是牛顿那棵苹果树的后代。”他说：“你不要用手去指，像个小孩一样。你说就好了。”

从中世纪的古街穿出来，看见几个衣着鲜艳的非洲人围成一圈在跳舞，立牌上贴着海报，抗议津巴布韦总统的独裁暴力统治，流亡国外的人数、经济下跌的指标，看起来怵目惊心。我说，我只注意苏丹的杀戮，不知道津巴布韦有这样的严重独裁。他说：“你不知道啊？津巴布韦本来被称为‘非洲的巴黎’呢，经济

走近看，那白衬衫竟是一只睡着了的白天鹅，脖子蜷在自己的鹅绒被上，旁边一只小鸭独自在玩水的影子。我跪在江离丛中拍摄，感动得眼睛潮湿；华飞一旁看着我泫然欲泣的样子，淡淡地说：

「小孩！」

和教育都是最先进的，可是穆加贝总统的高压统治，使津巴布韦现在几乎是非洲最落后的国家了，而且饥荒严重，很多人饿死。”

经过圣约翰学院，在一株巨大的栗子树上我发现一只长尾山雉，兴奋地指给华飞看——他却转过身去，一个快步离我五步之遥，站定，说：“拜托，妈，不要指，不要指，跟你出来实在太尴尬了。你简直就像个没见过世面的五岁的小孩！”

爱 情

从剑桥到了伦敦，我们住进了伦勃朗酒店。以荷兰最伟大的画家作为酒店的名字，大概已经在昭示自己的身份和品位了。拉开窗帘，以为可以看到雄伟的维多利亚阿伯特博物馆，却发现窗正对着后院，看出去只是一片平凡而老旧的砖造公寓建筑。有点失望，正要拉上窗帘转身的那一瞬，眼角波光流动间瞥见建筑的颜色和线条，顿时建筑隐退，颜色和线条镂空浮现，颜色深浅参差，线条黑墨分明，微风刚好吹起柔软的淡紫色的窗帘布；那一扇一扇窗的竖与横之间，仿佛是一种布局，楼与楼的彼此依靠和排拒之间，又像在进行一种埋伏的对话——我不禁停下来，凝视窗外，凝得入神，直到一只鸽子突然惊起，"哗"的一声横过。

我们沿着克伦威尔大道漫步行往白金汉宫的方向。华飞说，高二德文课正在读《少年维特的烦恼》，课堂上讨论得很仔细。

"喔？老师怎么说？"我兴味十足地看着他——我也是高二的时候读这本书的呀，在一九六九年的台湾，一边读歌德，一边读琼瑶。一七七四年《少年维特的烦恼》出版后，说是有两千个欧洲青年效仿维特为爱自杀。拿破仑在东征西讨的杀伐中，总是随身携带着这本爱情小书。

"你一定不相信老师怎么说的，"华飞笑着，"老师跟我们说：你们可不要相信这种‘纯纯’的爱。事实上，爱情能持久多半是因为两人有一种‘互利’的基础。没有‘互利’的关系，爱情是不会持久的。”

我很惊奇地看着他，问：“你同意他的说法？”

华飞点点头。

我飞快地回想十七岁的自己：我，还有我的同龄朋友们，是相信琼瑶的。凡是男的都要有深邃而痛苦的眼睛，女的都会有冰冷的小手和火烫的疯狂的热情。爱情是只有灵没有肉的，是澎湃汹涌一发不可收拾的；唯美浪漫、纯情而带着毁灭性的爱情，才是最高境界的爱情。

华飞以好朋友约翰为例，正在给我作解说：“你看，约翰的爸妈离婚了，约翰爸爸和现在的女朋友就可能持久，因为，第一，约翰爸爸是个银行总经理，女朋友是个秘书，她得到社会和经济地位的提升。第二，约翰妈妈是大学校长，约翰爸爸受不了约翰妈妈这么优秀；现在跟自己的秘书在一起，秘书不管是学识还是地位还是聪明度都不如自己，他得到安全感和自我优越感。在这样‘互利’的基础上，我判断他们的关系可能会持久。”

我两眼发直地瞪着自己十七岁的儿子，说，“老天，你——怎么会知道这些？”

他瞅着我，明显觉得我大惊小怪，“这什么时代啊，妈？”

晚上，伦敦街头下起小雨，我们在雨中快步奔走，赶往剧场，演出的是《艾薇塔》(《贝隆夫人》)，以阿根廷贝隆总理的夫人生平为故事的音乐剧。我们还是迟到了，《阿根廷，别为我哭泣》的熟悉旋律从剧场的门缝里传出来。

四十八岁享有盛名的贝隆将军在一个慈善舞会里邂逅二十四岁光艳照人的艾薇塔。舞台上，灯光迷离，音乐柔媚，艾薇塔渐渐舞近贝隆——我低声对华飞说：“你看，权力和美色交换，‘互利’理论又来了……”

华飞小声地回复：“妈，拜托，我才十七岁，不要教我这么多黑暗好不好？德文老师跟你一样，都不相信爱情。我才十七岁，我总得相信点什么吧？！”

早上，灿亮的阳光扑进来，华飞还睡着。我打开窗帘，看窗外那一片平凡而现实的风景。心想，在平凡和现实里，也必有巨大的美的可能吧。

我有好一阵子一边看戏一边心不在焉。他的问题——唉，我实在答不出来。

早上，灿亮的阳光扑进来，华飞还睡着。我打开窗帘，看窗外那一片平凡而现实的风景。心想，在平凡和现实里，也必有巨大的美的可能吧。

山路

五万人涌进了台中的露天剧场；有风，天上的云在游走，使得月光忽隐忽现，你注意到，当晚的月亮，不特别明亮，不特别油黄，也不特别圆满，像一个用手掰开的大半边葡萄柚，随意被搁在一张桌子上，仿佛寻常家用品的一部分。一走进剧场，却突然扑面而来密密麻麻一片人海，令人屏息震撼：五万人同时坐下，即使无声也是一个隆重的宣示。

歌声像一条柔软丝带，伸进黑洞里一点一点诱出深藏的记忆；群众跟着音乐打拍，和着歌曲哼唱，哼唱时陶醉，鼓掌时动容，但没有尖叫跳跃，也没有激情推挤，这，是四五十岁的一代人。

老朋友蔡琴出场时，掌声雷动，我坐在第二排正中，安静地注视她，想看看——又是好久不见，她瘦了还是胖了？第一排两个讨厌的人头挡住了视线，我稍稍挪动椅子，插在这两个人头的中间，才能把她看个清楚。今晚蔡琴一袭青衣，衣袂在风里翩翩蝶动，显得飘逸有致。

媒体涌向舞台前，镁光灯烁烁闪个不停。她笑说，媒体不是为了她的“歌”而来的，是为了另一件“事”。然后音乐静下，她开口清唱：“是谁在敲打我窗 / 是谁在撩动琴弦——”蔡琴的声音，有大河的深沉，黄昏的惆怅，又有宿醉难醒的缠绵。她低低地唱着，余音缭绕然后戛然而止时，人们报以狂热的掌声。她说，你们知道的是我的歌，你们不知道的是我的人生，而我的人生对你们并不重要。

在海浪一样的掌声中，我没有鼓掌，我仍旧深深地注视她。她说的“事”，是她前夫至爱导演杨德昌的死。她说的“人生”，是她自己的人生；但是人生，除了自己，谁可能知道？一个曾经爱得不能自拔的人死了，蔡琴，你的哪一首歌，是在追悼；哪一首歌，是在告别；哪一首歌，是在重新许诺；哪一首歌，是在为自己做永恒的准备？

挡了我视线的两个人头，一个是胡志强的。一年前中风，他走路时有些微跛，使得他的背影看起来特别憨厚。他的身边紧挨着自己大难不死的妻，少了一条手臂。胡志强拾起妻的一只纤弱的手，迎以自己一只粗壮的手，两人的手掌合起来鼓掌，是患难情深，更是岁月沧桑。

另一个头，是马英九的。能说他在跟五万个人一起欣赏民歌吗？还是说，他的坐着，其实是奔波，他的热闹，其实是孤独，他，和他的政治对手们，所开的车，没有“R”挡，更缺空挡。

我们这一代人，错错落落走在历史的山路上，前后拉得很长。同龄人推推挤挤走在一块，或相濡以沫，或怒目相视。年长一点的默默走在前头，或迟疑徘徊，或漠然而果决。前后虽隔数里，声气婉转相通，我们是同一条路上的同代人。

蔡琴开始唱《恰似你的温柔》，歌声低回流荡，人们开始和声而唱：

> 某年某月的某一天　　就像一张破碎的脸
> 难以开口道再见　　就让一切走远
> 这不是件容易的事　　我们却都没有哭泣
> 让它淡淡的来　　让它好好的去

才子当然心里冰雪般地透彻：有些事，只能一个人做。有些关，只能一个人过。有些路啊，只能一个人走。

我压低帽檐，眼泪，实在忍不住了。今天是七月七号的晚上，前行者沈君山三度中风陷入昏迷的第二晚。这里有五万人幸福地欢唱，掌声、笑声、歌声，混杂着城市的灯火腾跃，照亮了粉红色的天空。此刻，一辈子被称为“才子”的沈君山，一个人在加护病房里，一个人。

才子当然心里冰雪般的透彻：有些事，只能一个人做。有些关，只能一个人过。有些路啊，只能一个人走。

寂 寞

曾经坐在台北市议会的议事大厅中，议员对着麦克风咆哮，官员在挣扎解释，记者的镁光灯闪烁不停，语言的刀光剑影在政治的决斗场上咄咄逼人。我望向翻腾暴烈的场内，调整一下自己眼睛的聚焦，像魔术一样，“倏”一下，议场顿时往百步外退去，缩小，声音全灭，所有张开的嘴巴、圆瞪的眼睛、夸张的姿态、拍打桌子的扬起的手，一瞬间变成黑白默片中无声的慢动作，缓缓起，慢慢落……

我坐在风暴中心，四周却一片死静，这时，寂寞的感觉，像沙尘暴的漫天黑尘，以鬼魅的流动速度，细微地渗透地包围过来。

曾经三十天蛰居山庄，足不离户，坐在阳台上记录每天落日下山的分秒和它落下时与山棱碰触的点的移动。有时候，迷航的鸟不小心飞进屋内，拍打着翅膀从一个书架闯到另一个书架，迷乱惊慌地寻找出路。

在特别湿润的日子里，我将阳台落地玻璃门大大敞开，站在客厅中央，守着远处山头的一朵云，看着这朵云，从山峰那边弥漫飘过来、飘过来，越过阳台，全面进入我的客厅，把我包裹在内，而后流向每个房间，最终分成小朵，从不同的窗口飘出，回归山岚。

冰箱是空的。好朋友上山探视，总是带点牛奶面包，像一个社会局的志工去探视独居老人。真正断炊的时候，我黄昏出门散步，山径边有农人的菜田，长出田陌的野菜，随兴拔几把回家，也能煮汤。

夏天的夜空，有时很蓝。我总是看见金星早早出现在离山棱很近的低空，然后月亮就上来了。野风吹着高高的枫香树，叶片飒飒作响。老鹰独立树梢，沉静地俯视开阔的山谷，我独立露台，俯视深沉的老鹰。

我细细在想，寂寞，是个什么状态；寂寞，该怎么分类？

有一年的十二月三十一日晚上，朋友们在我的山居相聚，饮酒谈天，十一时半，大伙纷纷起立，要赶下山，因为，新年旧年交替的那一刻，必须和家里那个人相守。朋友们离去前还体贴地将酒杯碗盘洗净，然后是一阵车马滚滚启动、深巷寒犬交吠的声音。五分钟后，一个诗人从半路上来电，电话上欲言又止，意思是说，大伙午夜前刻一哄而散，把我一个人留在山上，好像……他说不下去。

我感念他的友情温柔，也记得自己的答复："亲爱的，难道你觉得，两个人一定比一个人不寂寞吗？"

他一时无语。

寂坐时，常想到晚明张岱。他写湖心亭：

> 崇祯五年十二月，余住西湖。大雪三日，湖中人鸟声俱绝。是日，更定矣，余拿一小舟，拥毳衣炉火，独往湖心亭看雪。雾凇沆砀，天与雪、与山、与水，上下一白。湖上影子，惟长堤一痕，湖心亭一点，与余舟一芥，舟中人两三粒而已。

深夜独自到湖上看大雪，他显然不觉寂寞——寂寞可能是美学的必要。但是，国破家亡、人事全非、当他在为自己写墓志铭的时候呢？

> 蜀人张岱，陶庵其号也。少为纨袴子弟，极爱繁华，好精舍，好美婢，好娈童，好鲜衣，好美食，好骏马，好华灯，好烟火，好梨园，好鼓吹，好古董，

真正断炊的时候，我黄昏出门散步，山径边有农人的菜田，长出田陌的野菜，随兴拔几把回家，也能煮汤。

好花鸟，兼以茶淫橘虐，书蠹诗魔，劳碌半生，皆成梦幻。

年至五十，国破家亡，避迹山居。所存者，破床碎几，折鼎病琴与残书数帙，缺砚一方而已。布衣疏莨，常至断炊。回首二十年前，真如隔世。

有一种寂寞，身边添一个可谈的人，一条知心的狗，或许就可以消减。有一种寂寞，茫茫天地之间“余舟一芥”的无边无际无着落，人只能各自孤独面对，素颜修行。

（不）相信

二十岁之前相信的很多东西，后来一件一件变成不相信。

曾经相信过爱国，后来知道"国"的定义有问题，通常那谆谆善诱要你爱国的人所定义的"国"，不一定可爱，不一定值得爱，而且更可能值得推翻。

曾经相信过历史，后来知道，原来历史一半是编造的。前朝史永远是后朝人在写，后朝人永远在否定前朝，他的后朝又来否定他，但是负负不一定得正，只是累积渐进的扭曲变形移位，使真相永远掩盖，无法复原。说"不容青史尽成灰"，表达的正是，不错，青史往往是要成灰的。指鹿为马，也往往是可以得逞和胜利的。

曾经相信过文明的力量，后来知道，原来人的愚昧和野蛮不因文明的进展而消失，只是愚昧野蛮有很多不同的面貌：纯朴的农民工人、深沉的知识分子、自信的政治领袖、替天行道的王师，都可能有不同形式的巨大愚昧和巨大野蛮，而且野蛮和文明之间，竟然只有极其细微、随时可以被抹掉的一线之隔。

曾经相信过正义，后来知道，原来同时完全可以存在两种正义，而且彼此抵触，冰火不容。选择其中之一，正义同时就意味着不正义。而且，你绝对看不出，某些人在某一个特定的时机热烈主张某一个特定的正义，其中隐藏着深不可测的不正义。

曾经相信过理想主义者，后来知道，理想主义者往往禁不起权力的测试：一旦掌有权力，他或者变成当初自己誓死反对的“邪恶”，或者，他在现实的场域里不堪一击，一下就被弄权者拉下马来，完全没有机会去实现他的理想。理想主义者要有品格，才能不被权力腐化；理想主义者要有能力，才能将理想转化为实践。可是理想主义者兼具品格及能力者，几希。

曾经相信过爱情，后来知道，原来爱情必须转化为亲情才可能持久，但是转化为亲情的爱情，犹如化入杯水中的冰块——它还是那玲珑剔透的冰块吗？

曾经相信过海枯石烂作为永恒不灭的表征，后来知道，原来海其实很容易枯，石，原来很容易烂。雨水，很可能不再来，沧海，不会再成桑田。原来，自己脚下所踩的地球，很容易被毁灭。海枯石烂的永恒，原来不存在。

二十岁之前相信的很多东西，有些其实到今天也还相信。

譬如国也许不可爱，但是土地和人可以爱。譬如史也许不能信，但是对于真相的追求可以无止尽。譬如文明也许脆弱不堪，但是除文明外我们其实别无依靠。譬如正义也许极为可疑，但是在乎正义比不在乎要安全。譬如理想主义者也许成就不了大事大业，但是没有他们社会一定不一样。譬如爱情总是幻灭的多，但是萤火虫在夜里发光从来就不是为了保持光。譬如海枯石烂的永恒也许不存在，但是如果一粒沙里有一个无穷的宇宙，一刹那里想必也有一个不变不移的时间。

那么，有没有什么，是我二十岁前不相信的，现在却信了呢？

有的，不过都是些最平凡的老生常谈。曾经不相信“性格决定命运”，现在相信了。曾经不相信“色即是空”，现在相信了。曾经不相信“船到桥头自然直”，现在有点信了。曾经不相信无法实证的事情，现在也还没准备相信，但是，有些无关实证的感觉。我明白了，譬如李叔同圆寂前最后的手书：“君子之交，其淡如水，执象而求，咫尺千里。问余何适，廓尔忘言，华枝春满，天心月圆。”

相信与不相信之间，令人沉吟。

1964

不曾出席过同学会的我，今天去了小学同学会。五十六岁的我，想看看当年十二岁的玩伴们今天变成了什么样。

那是一九六四年。

一月十八日，纽约宣布了建筑世贸中心双子大楼的具体计划。

一月二十一日，湖口“兵变”。

五月三日，台湾第一条快速公路完工通车，以刚刚过世的麦克阿瑟命名。

六月十二日，南非曼德拉被判无期徒刑。受审时，他在法庭上慷慨陈词：“我愿从容就义。”

十月一日，世界第一条高铁——东京大阪间的新干线，开始通车。同时，奥运会第一次在亚洲举办，东京面对国际。

十月五日，六十四个东德人利用挖掘的地道逃亡西德。

十月十六日，中国第一次试爆原子弹成功。

十二月十日，马丁·路德·金得到诺贝尔和平奖。

十二月十一日，切·格瓦拉在联合国发表演讲。

那一年，我们十二岁，我们的父亲们平均寿命是六十四岁，母亲们是六十九岁。

乡下孩子的世界单纯而美好。学校外面有野溪，被浓密的热带植物沿岸覆盖，莓果的香甜气息混在空气里，令人充满莫名的幸福感。溪水清澈如许，赤足其中，低头便可见透明的细虾和黑黝黝的蝌蚪在石头间游走。羽毛艳丽的大鸟在蓊郁的树丛里忽隐忽现，发出古老而神秘的叫声。头发里粘着野草，带着一身泥土气，提着鞋，裤脚半卷，走进学校，远远就看见教室外一排凤凰木，在七月的暑气里，满树红花，一片斑斓。蝉，开始鸣起。

进入教室坐下，国语老师慢悠悠地教诗。念诗时，他晃着脑袋，就像古时候的书院山长。他谈做人的道理，因为，那是个有"座右铭"的时代：我们的书桌都有一张透明的玻璃，玻璃下面压着对自己的提醒、勉励、期许。我们的日记本里，每隔几页就有一张人生格言语录。作文课，常常会碰到的题目是，《我的座右铭》：助人为快乐之本。要怎么收获，便怎么耕耘。罗马不是一天造成的。友直、友谅、友多闻，益矣。我知故我在。人生有如钓鱼，一竿在手，希望无穷。天行健，君子以自强不息。今日事，今日毕。

讲台上的老师，用谆谆善诱的口吻说："你们的前途是光明的，只要努力……"

五十六岁的我们，围着餐桌而坐，一一站起来自我介绍，因为不介绍，就认不出谁是谁。我们的眼睛暗了，头发白了，密密的皱纹自额头拉到嘴角；从十二岁到五十六岁，中间发生了什么？

如果，在我们十二岁那一年，窗外同样有火红烧天的凤凰花，溪里照样是鱼虾戏水于潺潺之间，野蛇沿着热带常青藤缓慢爬行，然后趴到石块上晒太阳，如果，我们有这么一个灵魂很老的人，坐在讲台上，用和煦平静的声音跟我们这么说：

"孩子们，今天十二岁的你们，在四十年之后，如果再度相聚，你们会发现，在你们五十个人之中，会有两个人患重度忧郁症，两个人因病或意外死亡，五个人还在为每天的温饱困难挣扎，三分之一的人觉得自己婚姻不很美满，一个人会因而自杀，两个人患了癌症。

你们之中，今天最聪明、最优秀的四个孩子，两个人会成为医生或工程师或

你们之中，今天最聪明、最优秀的四个孩子，两个人会成为医生或工程师或商人，另外两个人会终其一生落魄而艰辛。所有其他的人，会经历结婚、生育、工作、退休，人生由淡淡的悲伤和淡淡的幸福组成。

商人，另外两个人会终其一生落魄而艰辛。所有其他的人，会经历结婚、生育、工作、退休，人生由淡淡的悲伤和淡淡的幸福组成，在小小的期待、偶尔的兴奋和沉默的失望中度过每一天，然后带着一种想说却又说不来的‘懂’，做最后的转身离开。”

如果在我们十二岁那年，有人跟我们这样上课，会怎么样？

当然，没有一个老师，会对十二岁的孩子们这样说话。因为，这，哪能做人生的“座右铭”呢？

明 白

二十岁的时候，我们的妈妈们五十岁。我们是怎么谈她们的？

我和家萱在一个浴足馆按摩，并排懒坐，有一句没一句地闲聊。一面落地大窗，外面看不进来，我们却可以把过路的人看个清楚。

这是上海，这是衡山路。每一个亚洲城市都曾经有过这么一条路——餐厅特别时髦，酒吧特别昂贵，时装店冷气极强、灯光特别亮，墙上的海报一定有英文或法文写的“米兰”或“巴黎”。最突出的是走在街上的女郎，不管是露着白皙的腿还是纤细的腰，不管是小男生样的短发配牛仔裤还是随风飘起的长发配透明的丝巾，一颦一笑之间都辐射着美的自觉。每一个经过这面大窗的女郎，即使是独自一人，都带着一种演出的神情和姿态，美美地走过。她们在爱恋自己的青春。

家萱说，我记得啊，我妈管我管得烦死了，从我上小学开始，她就怕我出门被强奸，到了二十几岁还不准我超过十二点回家，每次晚回来她都一定要等门，然后也不开口说话，就是要让你“良心发现，自觉惭愧”。我妈简直就是个道德警察。

我说，我也记得啊，我妈给我印象最深的就是她的“放肆”。那时在美国电影上看见演“母亲”的讲话轻声细气的，浑身是优雅“教养”。我想，我妈也是杭州的绸缎庄大小姐，怎么这么“豪气”啊？当然，逃难，还生四个小孩，管小孩吃喝拉撒睡的日子，人怎么细得起来？她讲话声音大，和邻居们讲到高兴时，会笑得惊天动地。她不怒则已，一怒而开骂时，正气凛然，轰轰烈烈，被骂的人只能抱头逃窜。

现在，我们自己五十多岁了，妈妈们成了八十多岁的“老媪”。

“你妈时光会错乱吗？”她问。

会啊，我说，譬如有一次带她到乡下看风景，她很兴奋，一路上说个不停：“这条路走下去转个弯就是我家的地。”或者说：“你看你看，那个山头我常去收租，就是那里。”我就对她说：“妈，这里你没来过啦。”她就开骂了：“乱讲，我就住在这里，我家就在那山谷里，那里还有条河，叫新安江。”

我才明白，这一片台湾的美丽山林，仿佛浙江，使她忽然时光转换回到了自己的童年。她的眼睛发光，孩子似的指着车窗外：“佃农在我家地上种了很多杨梅、桃子，我爸爸让我去收租，佃农都对我很好，给我一大堆果子带走，我还爬很高的树呢。”

“你今年几岁，妈？”我轻声问她。

她眼神茫然，想了好一会儿，然后很小声地说：“我……我妈呢？我要找我妈。”

家萱的母亲住在北京一家安养院里。“开始的时候，她老说有人打她，剃她头发，听得我糊涂——这个赡养院很有品质，怎么会有人打她？”家萱的表情有点忧郁，“后来我才弄明白，原来她回到了‘文革’时期。年轻的时候，她是工厂里的出纳，被拖出去打，让她洗厕所，把她剃成阴阳头——总之，就是对人极尽的侮辱。”

在你最衰弱的时候，却回到了最暴力、最恐怖的世界——我看着沉默的家萱，“那……你怎么办？”

她说：“想了好久，后来想出一个办法。我自己写了个证明书，就写‘某某人工作努力，态度良好，爱国爱党，是本厂优良职工，已经被平反，恢复一切待遇。’然后还刻了一个好大的章，叫什么什么委员会，盖在证明书上。告诉看护说，

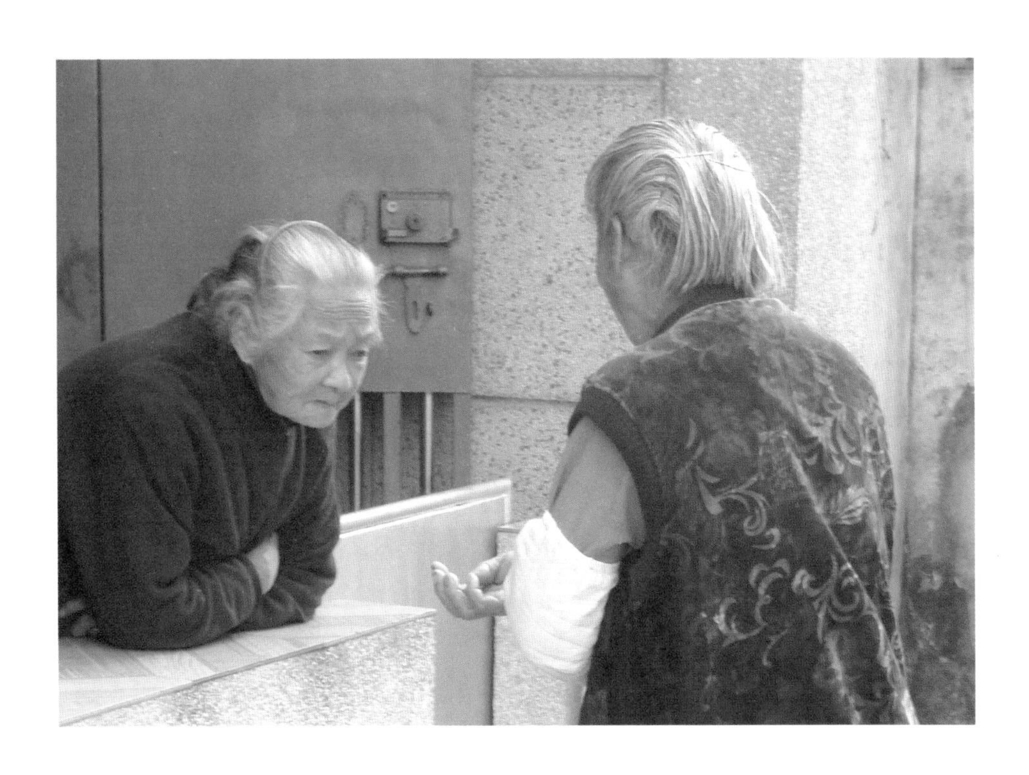

她的眼睛发光，孩子似的指着车窗外，「佃农在我家地上种了很多杨梅、桃子，我爸爸让我去收租，佃农都对我很好，给我一大堆果子带走，我还爬很高的树呢。」「你今年几岁，妈？」我轻声问她。

妈妈一说有人打她，就把这证书拿出来给她看。”

我不禁失笑，怎么我们这些五十岁的女人都在做一样的事啊。我妈每天都在数她钱包里的钞票，每天都边数边说“我没钱，哪里去了？”我们跟她解释说她的钱在银行里，她就用那种怀疑的眼光盯着你看，然后还是时时刻刻紧抓着钱包，焦虑万分。怎么办？我于是打了一个“银行证明”：“兹证明某某女士在本行存有五百万元整”，然后下面盖个方方正正的章，红色的，正的反的连盖好几个，看起来很衙门，很威风。我交代印佣：“她一提到钱，你就把这证明拿出来让她看。”我把好几副老花眼镜也备妥，跟“银行证明”一起放在她床头抽屉。钱包，塞在她枕头下。

按摩完了，家萱和我的“妈妈手记”技术交换也差不多了。落地窗前突然又出现一个年轻的女郎，宽阔飘逸的丝绸裤裙，小背心露背露肩又露腰，一副水灵灵的妖娇模样；她的手指一直绕着自己的发丝，带着给别人看的浅浅的笑，款款行走。

从哪里来，往哪里去，心中渐渐有一分明白，如月光泻地。

什 么

我有一种乡下人特有的愚钝。成长在乡村海畔，不曾识都会繁华，十八岁才第一次看见同龄的女生用瓶瓶罐罐的化妆品，才发现并非所有的女生都和我一样，早上起来只知清水洗素颜。在台南的凤凰树下闲散读书，亦不知何谓竞争和进取；毕业后到了台北，大吃一惊，原来台北人人都在考托福，申请留学。

这种愚钝，会跟着你一生一世。在人生的某些方面，你永远是那最后“知道”的人。譬如，年过五十，苍茫独行间，忽然惊觉，咦，怎么这么多的朋友在读佛经？他们在找什么我不知道的东西？

表面上毫无迹象。像三十岁时一样意兴风发，我们议论文坛的蜚短流长，我们忧虑政事的空耗和价值的错乱，我们商量什么事情值得行动、什么理想不值得期待，我们臧否人物、解析现象、辩论立场，我们也饮酒、品茶、看画、吃饭，我们时而微言大义，时而聒噪无聊，也常常言不及义。

可是，没有人会说：“我正在读《金刚经》。”

会发现他们的秘密，是因为我自己开始求索生死大问，而愚钝如我会开始求索生死大问是因为父亲的死亡，像海上突来闪电把夜空劈成两半，天空为之一破，让你看见了这一生从未见过的最深邃的裂缝、最神秘的破碎、最难解的灭绝。

于是可能在某个微雨的夜晚，一盏寒灯，二三饮者，在觥筹交错之后突然安静下来，怅然若失，只听窗外风穿野林肃肃，山川一时寂寥。

“你们看见了我看见的吗？”我悄声问。

这时，他们不动声色，手里的高脚酒杯开始轻轻摇晃，绛红色的酒微微荡漾但绝不溅溢。一个点头说：“早看见了。”另一个摇头说：“汝之开悟，何其迟也。”然后前者说：“你就从《楞严经》开始读吧。”后者说：“春分将至，或可赴恒河一游。”

我惊愕不已：嗄，你们都考过了“托福”啊？

我想到那能诗能画能乐、又曾经充满家国忧思的李叔同，三十八岁就决定放下，毅然出家——他究竟看见了什么？夏丏尊在父丧后，曾经特别到杭州定慧寺去探望李叔同，李叔同所赠字，就是《楞严经》的经文：

> 善哉阿难！汝等当知，一切众生，从无始来，生死相续，皆由不知常住真心，性净明体；用诸妄想，此想不真，固有轮转……

弘一法师在自己母亲的忌日，总是点亮油灯，磨好浓墨，素心书写《无常经》：

> 有三种法，于诸世间，是“不可爱”，是“不光泽”，是“不可念”，是“不称意”。何者为三，谓“老、病、死”。

他是否很早就看见了我很晚才看见的？

我们的同代人，大隐者周梦蝶，六七岁时被大人问到远大志愿时，说的是：“我只要这样小小一块地（举手在空中画了个小圆圈）；里头栽七棵蒜苗，就这样过一辈子。”梦蝶今年八十六岁了，过的确实就是“一小块地七棵蒜苗”的一辈子。是不是他早慧异于寻常，六七岁时就已知道“不可爱”、“不光泽”、“不可念”、“不

我们的同代人，大隐者周梦蝶，六七岁时被大人问到远大志愿时，说的是：「我只要这样小小一块地，里头栽七棵蒜苗，就这样过一辈子。」梦蝶今年八十六岁了，过的确实就是「一小块地七棵蒜苗」的一辈子。

称意”在生命本质上的意义，否则，他怎么会在城市陋巷的幽晦骑楼里，在那极其苍白又迷惘荒凉的五十年代时光里，写下这样的诗句：

所有美好的都已美好过了
甚至夜夜来吊唁的蝶梦也冷了
是的，至少你还有虚无留存
你说。至少你已懂得什么是什么了
是的，没有一种笑是铁打的
甚至眼泪也不是……

也是五十年代，彼得·席格把《圣经·传道书》里的诗谱成了曲，旋律甜美轻快，使人想跳舞，可是那词，倾听之下总使我眼睛潮湿，喉头酸楚：

凡事都有定期、天下万务都有定时
生有时、死有时
栽种有时、拔出所栽种的、也有时
杀戮有时、医治有时，拆毁有时、建造有时
哭有时、笑有时，哀恸有时、跳舞有时
抛掷石头有时、堆聚石头有时
怀抱有时、不怀抱有时
寻找有时、放手有时，保持有时、舍弃有时
撕裂有时、缝补有时，静默有时、言语有时
喜爱有时、恨恶有时，争战有时、和好有时

难的是，你如何辨识寻找和放手的时刻，你如何懂得，什么是什么呢？

共 老

我们走进中环一个公园。很小一块绿地，被四边的摩天大楼紧紧裹着，大楼的顶端插入云层，底部小公园像大楼与大楼之间一张小小吊床，盛着一捧青翠。

淙淙流水旁看见一块凹凸有致的岩石，三个人各选一个角，坐了下来。一个人仰望天，一个人俯瞰地，我看一株树，矮墩墩的，树叶油亮茂盛，挤成一团浓郁的深绿。

这三个人，平常各自忙碌。一个，经常一面开车一面上班，电话一个接一个，总是在一个红绿灯与下一个红绿灯之间做了无数个业务的交代。睡觉时，手机开着，放在枕边。另一个，天还没亮就披上白袍开始巡房，吃饭时腰间机器一响就接，放下筷子就往外疾走。和朋友痛快饮酒时，一个人站到角落里捂着嘴小声说话，仔细听，他说的多半是："尸体呢？""家属到了没？""从几楼跳的？几点钟？"然后不动声色地回到热闹的餐桌。人们问："怎么了？"他说："没什么。"大伙散时，他就一个人匆匆上路，多半在夜色迷茫的时候。

还有我自己，总是有读不完的书，写不完的字，走不完的路，看不完的风景，想不完的事情，问不完的问题，爱不完的虫鱼鸟兽花草树木。忙，忙死了。

可是我们决定一起出来走走。三个人，就这样漫无目的地行走，身上没有一个包袱，手里没有一张地图。

然后，我就看见它了。

在那一团浓郁的深绿里，藏着一只浓郁深绿的野鹦鹉，正在啄吃一粒绿得发亮的杨桃。我靠近树，仰头仔细看它。野鹦鹉眼睛圆滚滚的，也看着我。我们就在那杨桃树下对看。

另外两个人，也悄悄走了过来。三个人，就那样立在树下，仰着头，屏息，安静，凝视许久，一直到野鹦鹉将杨桃吃完，吐了核，拍拍翅膀，"哗"一下飞走。

我们相视而笑，好像刚刚经过一个秘密的宗教仪式，然后开始想念那缺席的一个人。

是一个阳光温煦、微风徐徐的下午。我看见他们两鬓多了白发，因此他们想必也将我的日渐憔悴看在眼里。我在心疼他们眼神里不经意流露的风霜，那么——他们想必也对我的流离觉得不舍？

只是，我们很少说。

多么奇特的关系啊。如果我们是好友，我们会彼此探问，打电话、发简讯、写电邮、相约见面，表达关怀。如果我们是情人，我们会朝思暮想，会嘘寒问暖，会百般牵挂，因为，情人之间是一种如胶似漆的黏合。如果我们是夫妻，只要不是怨偶，我们会朝夕相处，会耳提面命，会如影随形，会争吵，会和好，会把彼此的命运紧紧缠绕。

但我们不是。我们不会跟好友一样殷勤探问，不会跟情人一样常相厮磨，不会跟夫妇一样同船共渡。所谓兄弟，就是家常日子平淡过，各自有各自的工作和生活，各自做各自的抉择和承受。我们聚首，通常不是为了彼此，而是为了父亲或母亲。聚首时即使促膝而坐，也不必然会谈心。即使谈心，也不必然有所企求——自己的抉择，只有自己能承受，在我们这个年龄，已经了然在心。有时候，我们问：母亲也走了以后，你我还会这样相聚吗？我们会不会，像风中转蓬一样，各自滚向渺茫，相忘于人生的荒漠？

然而，又不那么简单，因为，和这个世界上所有其他的人都不一样，我们

有时候，我们问：母亲也走了以后，你我还会这样相聚吗？我们会不会，像风中转蓬一样，各自滚向渺茫，相忘于人生的荒漠？

从彼此的容颜里看得见当初。我们清楚地记得彼此的儿时——老榕树上的刻字、日本房子的纸窗、雨打在铁皮上咚咚的声音、夏夜里的萤火虫、父亲念古书的声音、母亲快乐的笑、成长过程里一点一滴的羞辱、挫折、荣耀和幸福。有一段初始的生命，全世界只有这几个人知道，譬如你的小名，或者，你在哪棵树上折断了手。

南美洲有一种树，雨树，树冠巨大圆满如罩钟，从树冠一端到另一端可以有三十米之遥。阴天或夜间，细叶合拢，雨，直直自叶隙落下，所以叶冠虽巨大且密，树底的小草，却茵茵然葱绿。兄弟，不是永不交叉的铁轨，倒像同一株雨树上的枝叶，虽然隔开三十米，但是同树同根，日开夜合，看同一场雨直直落地，与树雨共老，挺好的。

如 果

他一上来我就注意到了。老伯伯，留着平头，发色灰白，神色茫然，有点像个走失的孩子。裹着一件浅褐色的夹克，一个皮包挂在颈间，手里拄着拐杖，步履艰难地走进机舱。其他的乘客拖着轮转行李箱，昂首疾步往前，他显得有点慌张，低头看自己的登机证，抬头找座位号码。不耐烦的人从他身边用力挤过去，把他压得身体往前倾。他终于在我左前方坐下来，怀里紧抱着皮包，里头可能是他所有的身份证明。拐杖有点太长，他弯腰想把它塞进前方座椅下面，一阵忙乱，服务员来了，把它抽出来，拿到前面去搁置。老伯伯伸出手臂，用很浓的甘陕乡音向着小姐的背影说："要记得还给我啊。"

我低头读报。

台北往香港的飞机，一般都是满的，但是并非所有的人都是去香港的。他们的手，紧紧握着台胞证，在香港机场下机、上机，下楼、上楼，再飞。到了彼岸，就消失在大江南北的版图上，像一小滴水无声无息落进茫茫大漠里。老伯伯孤单一人，步履蹒跚行走千里，在门与门之间颠簸，在关与关之间折腾，不必问他为了什么；我太知道他的身世。

他曾经是个眼睛如小鹿、被母亲疼爱的少年，心里怀着莺飞草长的轻快欢欣，期盼自己长大，幻想人生大开大合的种种方式。唯一他没想到的方式，却来临了，

当他垂垂老时，他可以回乡了，山河仍在，春天依旧，只是父母的坟，在太深的草里，老年僵硬的膝盖，无法跪拜。乡里，已无故人。

战争像突来的飓风把他连根拔起，然后恶意弃置于陌生的荒地。在那里，他成为时代的孤儿，堕入社会底层，从此一生流离，半生坎坷。当他垂垂老时，他可以回乡了，山河仍在，春天依旧，只是父母的坟，在太深的草里，老年僵硬的膝盖，无法跪拜。乡里，已无故人。

我不敢看他，因为即使是眼角余光瞥见他颓然的背影，我都无法遏止地想起自己的父亲。父亲离开三年了，我在想，如果，如果再给我一次机会，仅仅是一次机会，让我再度陪他返乡——我会做什么？

我会陪着他坐飞机，一路牵着他瘦弱的手。

我会一路听他说话，不厌烦。我会固执地请他把他当年做宪兵队长的英勇事迹完整地讲完，会敲问每一个细节——哪年？驻扎在镇江还是无锡还是杭州？对岸共产党劝你“起义”的信是怎么写的？为什么你没接受？……我会问清每一个环节，我会拿出我的笔记本，用一种认真到不能再认真的态度，仿佛我在采访一个超强大国的国家元首，聚精会神地听他每一句话。对每一个听不懂的地名、弄不清的时间，坚持请他“再说一遍，你再说一遍，三点水的淞？江水的江？羊坝头怎么写？宪兵队在广州驻扎多久？怎么到海南岛的？怎么来台湾的？坐什么船？船叫什么名字？几吨的船？炮有打中船吗？有起火吗？有没有人掉进海里？多少人？有小孩吗？你看见了吗？吃什么？馒头吗？一人分几个？”

我会陪他吃难吃的机舱饭。我会把面包撕成一条一条，跟空中小姐要一杯热牛奶，然后把一条一条面包浸泡牛奶，让他慢慢咀嚼。他颤抖的手打翻了牛奶，我会再叫一杯，但是他的衣服不会太湿，因为我会在之前就把雪白的餐巾打开铺在他胸口。

下机转机的时候，我会牵着他的手，慢慢地走。任何人从我们身边挤过而且露出不耐烦的神色故意给我们看，我会很大声地对他说：“你有教养没有！”

长长的队伍排起来，等着过关，上楼，重新搭机。我会牵着他的手，走到队伍最前端，我会跟不管那是什么人，说：“对不起，老人家不能站太久，您可以让我们先进去吗？”我会把他的包放在行李检查转轮上，扶着他穿过电检拱门。如果检查人员说："请你退回去，他必须一个人穿过。"我会坚持说："不行，他跌倒怎么办？那你过来扶着他！”如果不知为什么，那门“哔”一声响起，他又得退回，然后重来一次，我会不管三七二十一，牵着他的手，穿过。

当飞机“砰”一声触到了长沙的土地，当飞机还在滑行，我会转过身来，亲吻他的额头——连他的额头都布满了老人黑斑，我会亲吻他的额头，用我此生最温柔的声音，附在他耳边跟他说："爸爸，你到家了。"

“砰”的一声，飞机真的着陆了，这是香港赤邋角机场。我的报纸，在降落的倾斜中散落一地。机舱仍在滑行，左前方那位老伯伯突然颤巍巍站了起来，我听见空服员恼怒而凌厉的声音："坐下，坐下，你坐下！还没到你急什么！”

跌 倒——寄K

不久前，震动了整个香港的一则新闻是，一个不堪坎坷的母亲，把十岁多一点的两个孩子手脚捆绑，从高楼抛落，然后自己跳下。

今天台湾的新闻，一个“国三”的学生在学校的厕所里，用一个塑料袋套在自己头上，自杀了。

读到这样的新闻，我总不忍去读细节。掩上报纸，走出门，灰蒙蒙的天，下着细雨。已经连下了三天雨，早上醒来时，望向窗外，浓浓的雾紧紧锁住了整个城市。这个十五岁的孩子，人生最后的三天，所看见的是一个灰蒙蒙、湿淋淋、寒气沁人的世界。这黯淡的三天之中，有没有人拥抱过他？有没有人抚摸过他的头发，对他说：“孩子，你真可爱？”有没有人跟他同走一段回家的路？有没有人发简讯给他，约他周末去踢球？有没有人对他微笑过，重重地拍他肩膀说：“没关系啊，这算什么？”有没有人在MSN上跟他聊过天、开过玩笑？有没有人给他发过一则电邮，说：“嘿，你今天怎么了？”

在那三天中，有没有哪个人的名字被他写在笔记本里，他曾经一度动念想去和对方痛哭一场？有没有某一个电话号码被他输入手机，他曾经一度犹疑要不要拨那个电话去说一说自己的害怕？

那天早上十五岁的他决绝地出门之前，桌上有没有早点？厨房里有没有声

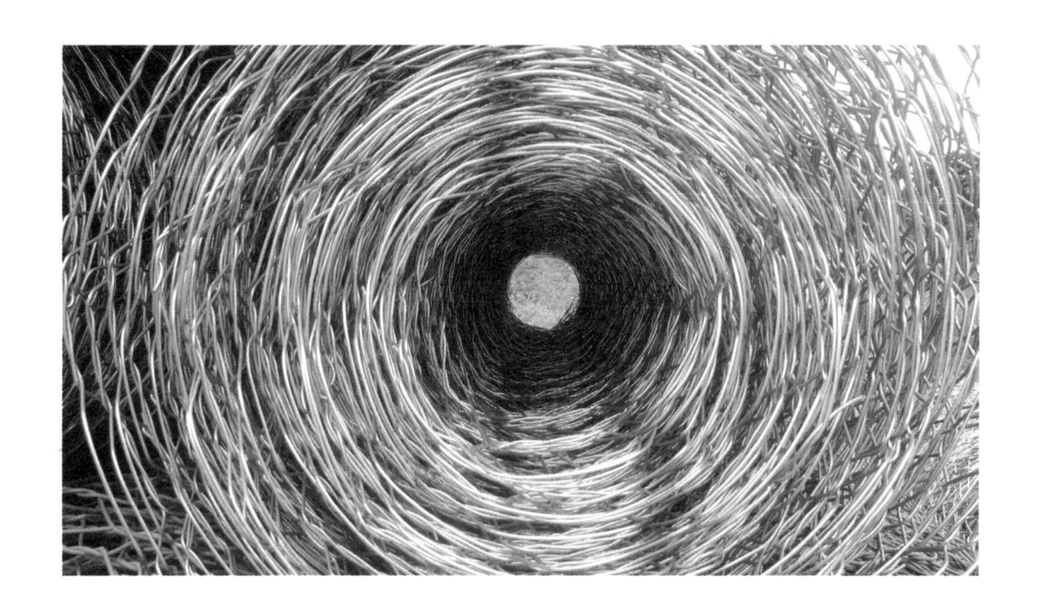

我们拼命地学习如何成功冲刺一百米，但是没有人教过我们：你跌倒时，怎么跌得有尊严；你的膝盖破得血肉模糊时，怎么清洗伤口、怎么包扎；你一头栽下时，怎么治疗内心淌血的创痛，怎么获得心灵深层的平静；心像玻璃一样碎了一地时，怎么收拾？

音？从家门到校门的一路上，有没有一句轻柔的话、一个温暖的眼神，使他留恋，使他动摇？

我想说的是，K，在我们整个成长的过程里，谁，教过我们怎么去面对痛苦、挫折、失败？它不在我们的家庭教育里，它不在小学、中学、大学的教科书或课程里，它更不在我们的大众传播里。家庭教育、学校教育、社会教育只教我们如何去追求卓越，从砍樱桃的华盛顿、悬梁刺股的孙敬、苏秦到平地起楼的比尔·盖茨，都是成功的典范。即使是谈到失败，目的只是要你绝地反攻，再度追求出人头地，譬如越王句践的卧薪尝胆，洗雪耻辱，譬如哪个战败的国王看见蜘蛛如何结网，不屈不挠。

我们拼命地学习如何成功冲刺一百米，但是没有人教过我们：你跌倒时，怎么跌得有尊严；你的膝盖破得血肉模糊时，怎么清洗伤口、怎么包扎；你痛得无法忍受时，用什么样的表情去面对别人；你一头栽下时，怎么治疗内心淌血的创痛，怎么获得心灵深层的平静；心像玻璃一样碎了一地时，怎么收拾？

谁教过我们，在跌倒时，怎样的勇敢才真正有用？怎样的智慧才能度过？跌倒，怎样可以变成行远的力量？失败，为什么往往是人生的修行？何以跌倒过的人，更深刻、更真诚？

我们没有学过。

如果这个社会曾经给那十五岁的孩子上过这样的课程，他留恋我们——以及我们头上的蓝天——的机会是不是多一点？

现在K也绊倒了。你的修行开始。在你与世隔绝的修行室外，有很多人希望捎给你一句轻柔的话、一个温暖的眼神、一个结实的拥抱。我们都在这里，等着你。可是修行的路总是孤独的，因为智慧必然来自孤独。

牵挂

要赶去机场，时间很紧，路上不知塞不塞车，但我还是给丽莎打了个电话："十分钟后到你家。然后直奔机场，准备点吃的给我。"

十分钟后，丽莎趿着拖鞋，穿着运动裤，素颜直发下楼来，我们坐在她阳光满满的客厅里。她开始谈正在读的菲利普·罗斯的小说，我猛喝一杯五百毫升的优酪乳加水果，囫囵吞一个刚做好的新鲜三明治。吃完喝完，还带一杯滚烫的咖啡，有盖，有吸管，匆匆上车。上车时，丽莎塞给我一本书，《二○○七美国最佳散文选》，让我带上飞机看。

车子启动，将车窗按下，看着门里目送我离去的丽莎，我用手心触唇，给她一个象征的亲吻和拥抱。

一路飞奔到机场。临上机，再给她打个电话："你让马莉去帮我打扫时，拜托，洗衣机里有洗过的衣服忘了拿出来晾，请她处理，还有，冰箱里过期的东西全部丢掉。都发霉了。"丽莎说："没问题。你要保重。"我也说："你保重。"

然后我关了手机。提起行李。

这么常地来来去去，这么常地说"你保重"，然而每一次说"保重"，我们都说得那么郑重，那么认真，那么在意，我想是因为，我们实在太认识人生的无常了，我们把每一次都当作可能是最后一次。

到了香港，一踏出机舱就打开手机，手机里一定有一则短讯："在A出口等候。"大厅里，不管人群多么拥挤，C一定有办法马上让你看见她，她总是带着盈盈笑意迎面走来。她的一只手里有一杯新鲜的果汁，递给你，另一只手伸过来帮你拖行李。"要不要买牛奶回家？要不要先去市场买菜？"她问。

她开车，一路上，絮絮述说，孩子、工作、香港政治、中国新闻，好笑的人、愤怒的事、想不开的心情。我们平常没时间见面，不知怎么接机或送机就变成一个流动中的咖啡馆，滑行中的聊天室。车子在公路上滑行，我总是边听边看车窗外的风景，两边空濛，尽是大山大海大片的天空。如果是黄昏，霞彩把每一座香港的山都罩上一层淡粉的薄纱，温柔美丽令人瞠目。

偶尔，车子也是流动的写作室。有一天，要从新竹开车南下三百公里去探视母亲——夜里突来电话，得知母亲生病，但是要出发时，手边一篇批判总统先生的大块文章虽然彻夜写作，却尚未完稿，怎么办呢？荣光看看我一夜不眠、气色灰败的脸孔，豪气地一挥手，决定做我的专用司机。他前座开车，让我蜷曲在后座继续在电脑上写作文。四小时车程，到达屏东，母亲的家到了，文章刚好完成。荣光下了车，拍拍身上灰尘，一身潇洒，转身搭巴士回新竹，又是四小时车程，独自的行旅。

这些是牵挂你的人慷慨赠予你的时光和情感；有时候，是你牵挂别人。一个才气纵横的人中风昏迷，经月不醒。你梦见他，梦见他突然醒来，就在那病房床榻上，披衣坐起，侃侃而谈，字字机锋。他用中文谈两岸的未来，用英语聊莎士比亚的诗。醒来，方知是梦，天色幽幽，怅然不已。

或者是一个十年不逢的老友。久不通讯，但是你记得她在小院里种的花香，记得她念诗时哽咽的声音，记得她在深夜的越洋电话里谈美、谈文章、谈人生的种种温情。你常常想到她，虽然连电话号码都记不全了。

但是，总是别人牵挂你、照顾你的时候多。他，有时是她，时不时来一个电话，电话絮絮讲完了，你轻轻放下听筒，才觉得，这其实是个"相见亦无事，

临上机，再给她打个电话：「你让马莉去帮我打扫时，拜托，洗衣机里有洗过的衣服忘了拿出来晾，请她处理，还有，冰箱里过期的东西全部丢掉。都发霉了。」

丽莎说：「没问题。你要保重。」

我也说：「你保重。」

不来常思君”的电话——什么事都没有，扯东扯西，只不过想确认一下你还好，但是一句思念的话，都没有。

昨晚就有一个约会，时间未到，干脆到外面去等，感觉一下秋夜的凉风如水。在暗夜中，靠着大柱坐在石阶上。他出现时，看见我一个人坐在秋声萧瑟的黑暗的地上。

有光的时候，他迟疑地说 ：“我觉得你——憔悴了。”

我正巧穿着一身黑衣黑裙，因为上午去了一个朋友的告别式。在低低的唱名声中，人们一波一波地进来又一波一波地离去。

胭脂

每次到屏东去看妈妈，还没到时先给她电话："你知道我是谁吗？"

她愉快的声音传来："我不知道你是什么人，可是我知道你是我喜欢的人。"

"猜对了，"我说，"我是你的女儿，我是小晶。"

"小晶啊，"她说，带着很浓的浙江乡音，"你在哪里？"

带她去"邓师傅"做脚底按摩，带她去美容院洗头，带她到菜市场买菜，带她到田野上去看鹭鸶鸟，带她到药房去买老人营养品，带她去买棉质内衣，宽大但是肩带又不会滑下来的那一种，带她去买鞋子买乳液买最大号的指甲刀。我牵着她的手在马路上并肩共行的景象，在这黄狗当街懒睡的安静小镇上就成为人们记得的本村风景。不认识的人，看到我们又经过他的店铺，一边切槟榔一边用眼睛目送我们走过，有时候说一句，轻得几乎听不见："伊查某仔转来喽！"

见时容易别时难，离开她，是个复杂的工程。离开前二十四小时，就得先启动心理辅导。我轻快地说："妈，明天就要走啦。"

她也许正用空濛濛的眼睛看着窗外的天，这时马上把脸转过来，慌张地看着我，"要走了？怎么要走呢？"

我保持声音的愉悦，"要上班，不然老板不要我啦。"

她垂下眼睛，是那种被打败的神情，两手交握，放在膝上，像个听话的小学生。

跟“上班”，是不能对抗的，她也知道。她低声自言自语：“喔，要上班。”

“来，”我拉起她的手，“坐下，我帮你擦指甲油。”

买了很多不同颜色的指甲油，专门用来跟她消磨卧房里的时光。她坐在床沿，顺从地伸出手来，我开始给她的指甲上色，一片一片慢慢上，每一片指甲上两层。她手背上的皮，抓起来一大把，是一层极薄的人皮，满是皱纹，像蛇蜕掉弃置的干皮。我把从新西兰带回来的绵羊油倒在手心上，轻轻揉搓这双曾经劳碌不堪、青筋暴露而今灯尽油枯的手。

涂完手指甲，开始涂脚指甲。脚指甲有点灰指甲症状，硬厚得像岩石。把她的脚放进热水盆里——她缩起脚，说：“烫。”我说：“一点也不，慢慢来。”浸泡五分钟后，脚指甲稍微松软了，再涂色。选了艳丽的桃红，小心翼翼地点在她石灰般的脚指甲上。效果，看起来确实有点恐怖，像给僵尸的脸颊上了腮红。

我认真而细致地“摆布”她，她静静地任我“摆布”。我们没法交谈，但是，我已经认识到，谁说交谈是唯一的相处方式呢？还有什么，比这胭脂阵的“摆布”更适合母女来玩？只要我在，她脸上就有一种安心的平静。更何况，胭脂阵是有配乐的。我放上周璇的老歌，我们从《夜上海》一直听到《凤凰于飞》、《星心相印》和《永远的微笑》。

涂完她所有的手指甲和脚指甲，轮到我自己。黄昏了，淡淡的阳光把窗帘的轮廓投射在地板上。“你看。”我拿出十种颜色，每一只指甲涂一个不同的颜色，从绯红到紫黑。她不说话，就坐在那床沿，看着我涂自己的指甲，从一个指头到另一个指头。

每次从屏东回到台北，朋友总是惊讶：“嗄？你涂指甲油？”

指甲油玩完了，空气里全是指甲油的气味。我说：“明天，明天我要走了。要上班。”

她有点茫然，“要走了？怎么要走了？那——我怎么办？我也要走啊。”

把她拉到梳妆镜前，拿出口红，“你跟哥哥住啊，你走了他要伤心的。来，

她曾经是个多么耽溺于美的女人啊。六十岁的她和三十岁的我，曾经一起站在梳妆镜前，她说：「小晶，你要化妆。女人，就是要漂亮。」（龙霈摄）

我帮你化妆。”她一瞬间就忘了我要走的事，对着镜子做出矜持的姿态，“我啊，老太婆了，化什么妆哩。”

可是她开始看着镜中的自己，拿起梳子，梳自己的头发。

她曾经是个多么耽溺于美的女人啊。六十五岁的时候，突然去文了眉和眼线，七十岁的时候，还问我她该不该去隆鼻。多少次，她和我一起站在梳妆镜前，她说：“女儿，你要化妆。女人，就是要漂亮。”

现在，她的手臂布满了黑斑。

我帮她擦了口红，说：“来，抿一抿。”她抿了抿唇。

我帮她上了腮红。

在她文过的眉上，又画上一道弯弯淡眉。

“你看，”我搂着她，面对着大镜，“冬英多漂亮啊。”

她惊讶，“咦，你怎么知道我的名字？”

“我是你的女儿嘛。”我环抱着她瘦弱的肩膀，对着镜子里的人，说，“妈，你看你多漂亮。我明天要走喔，要上班，不能不去的，但马上会回来看你。”

寒 色

千里江山寒色远，芦花深处泊孤舟

当场被读者问倒的情况不多，但是不久以前，一个问题使我在一千多人面前，突然支吾，不知所云。

他问的是 ："家，是什么？"

家是什么，这不是小学二年级的作文题目吗？和"我的志愿"、"我的母亲"、"我的暑假"同一等级。怎么会拿到这里来问一个自认为对"千里江山寒色远，芦花深处泊孤舟"早有体会的人？

问者的态度诚诚恳恳的，我却只能语焉不详蒙混过去。这么难的题啊。

作为被人呵护的儿女时，父母在的地方，就是家。早上赶车时，有人催你喝热腾腾的豆浆。天若下雨，他坚持你要带伞。烫的便当塞在书包里，书包挎在肩上，贴身还热。周末上街时，一家四五口人可以挤在一辆机车上招摇过市。放学回来时，距离门外几尺就听见锅铲轻快的声音，饭菜香一阵一阵。晚了，一顶大蚊帐，四张榻榻米，灯一黑，就是黑甜时间。兄弟姊妹的笑闹踢打和被褥的松软裹在帐内，帐外不时有大人的咳嗽声，走动声，窃窃私语声。朦胧的时候，窗外丝缎般的栀子花香，就幽幽飘进半睡半醒的眼睫里。帐里帐外都是一个温暖而安心的世界，那是家。

可是这个家，会怎样呢？

人，一个一个走掉，通常走得很远、很久。在很长的岁月里，只有一年一度，屋里头的灯光特别灿亮，人声特别喧哗，进出杂沓数日，然后又归于沉寂。留在里面没走的人，体态渐孱弱，步履渐蹒跚，屋内愈来愈静，听得见墙上时钟滴答的声音。栀子花还开着，只是在黄昏的阳光里看它，怎么看都觉得凄清。然后其中一个人也走了，剩下的那一个，从暗暗的窗帘里，往窗外看，仿佛看见，有一天，来了一辆车，是来接自己的。她可能自己锁了门，慢慢走出去，可能坐在轮椅中，被推出去，也可能是一张白布盖着，被抬出去。

和人做终身伴侣时，两个人在哪里，哪里就是家。曾经是异国大学小城里一间简单的公寓，和其他一两家共一个厨房。窗外飘着陌生的冷雪，可是卧房里伴侣的手温暖无比。后来是一个又一个陌生的城市，跟着一个又一个新的工作，一个又一个重新来过的家。几件重要的家具总是在运输的路上，其他就在每一个新的城市里一点一点添加或丢弃。墙上，不敢挂什么真正和记忆终生不渝的东西，因为墙，是暂时的。在暂时里，只有假设性的永久和不敢放心的永恒。家，也就是两个人刚好暂时落脚的地方。

可是这个家，会怎样呢？

很多，没多久就散了，因为人会变，生活会变，家，也跟着变质。渴望安定时，很多人进入一个家；渴望自由时，很多人又逃离一个家。渴望安定的人也许遇见的是一个渴望自由的人，寻找自由的人也许爱上的是一个寻找安定的人。家，一不小心就变成一个没有温暖、只有压迫的地方。外面的世界固然荒凉，但是家却可以更寒冷。一个人固然寂寞，两个人孤灯下无言相对却可以更寂寞。

很多人在散了之后就开始终身流浪。

很多，一会儿就有了儿女。一有儿女，家，就是儿女在的地方。天还没亮就起来做早点，把热腾腾的豆浆放上餐桌，一定要亲眼看着他喝下才安心。天若下

家，一不小心就变成一个没有温暖、只有压迫的地方。

外面的世界固然荒凉，但是家却可以更寒冷。一个人固然寂寞，两个人孤灯下无言相对却可以更寂寞。很多人在散了之后就开始终身流浪。

雨，少年总不愿拿伞，因为拿伞有损形象，于是你苦口婆心几近哀求地请他带伞。他已经走出门，你又赶上去把滚烫的便当塞进他书包里。周末，你骑机车去市场，把两个女儿贴在身后，一个小的夹在前面两腿之间，虽然挤，但是女儿的体温和迎风的笑声甜蜜可爱。从上午就开始盘算晚餐的食谱，黄昏时，你一边炒菜一边听着门外的声音，期待一个一个孩子回到自己身边。晚上，你把滚热的牛奶搁在书桌上，孩子从作业堆里抬头看你一眼，不说话，只是笑了一下。你觉得，好像突然闻到栀子花幽幽的香气。

孩子在哪里，哪里就是家。

可是，这个家，会怎样呢？

散步

回屏东看母亲之前，家萱过边境来访。细致的她照例带了礼物。一个盒子上写着“极品燕窝”，我打开看一下，黑溜溜的一片，看不懂。只认得盛在瓷碗里头加了冰糖的白糊糊又香又甜的燕窝；这黑溜溜的原始燕窝——是液体加了羽毛、树枝吗？还真不认识。不过，家萱当然是送给母亲吃的，我不需操心。

她又拿出一个圆筒，像是藏画的。一卷纸拿出来，然后一张一张摊开，她说：“我印得多了，想想也许你妈可以用。”

海报大小的白纸，印着体积很大、油墨很浓的毛笔字，每一张都是两三行，内容大同小异：

最亲爱的妈妈：

我们深爱您。

您的房子、看护、医药费，我们全都付了。

我们承诺，一定竭尽所能照料您。

请您放心。

您的孩子：家萱
家齐
家仁

最亲爱的妈妈：

我们都是您含辛茹苦培养大的。

我们感念您。

我们承诺：您所有的需要，都由我们承担。

请您放心。相信我们对您的深爱。

您的孩子：家萱
家齐
家仁

我看着家萱，忍不住笑。上一回，我们在交换“妈妈笔记”时，她说到八十岁的母亲在安养院里如何如何地焦虑自己没钱，怀疑自己被儿女遗弃，而且一转身就忘记儿女刚刚来探视过而老是抱怨孩子们不记得她。我拿出自己“制造”的各种银行证明、抚养保证书，每一个证明都有拳头大的字，红糊糊、官气赫赫的印章，每一张都有一时的“安心”作用。没想到家萱进步神速，已经有了独家的“大字报”！

“是啊，”她笑着说，“我用海报把她房间的墙壁贴得满满的。她在房间里走来走去，可以一张一张读，每一张我们姐弟都给签了名。”

“有效吗？”我问。

她点头，“还真有效，她读了就安心。”

“你拿回屏东，贴在你妈房里吧。”

她的笑容，怎么看都是苦的。我也发现，她的白发不知何时也多了。

我把大字报一张一张拾起，一张一张叠好，卷起，然后小心地塞回圆筒。摇摇头，“妈妈又过了那个阶段了。她已经忘了字了。我写的银行证明，现在她也看不懂了。”

回到屏东，春节的爆竹在冷过头的冬天，有一下没一下的，凉凉的，仿佛浸在水缸里的酸菜。陪母亲卧床，她却终夜不眠。窗帘拉上，灭了大灯，她的两眼晶亮，瞪着空濛濛的黑夜，好像瞪着一个黑色的可以触摸的实体。她伸出手，在空中捏取我看不见的东西。她呼唤我的小名，要我快起床去赶校车，不要迟到了，便当已经准备好。她说隔壁的张某某不是个东西，欠了钱怎么也不还。她问，怎么你爸爸还没回家，不是说理了发就马上回来吗？

我到厨房拿热牛奶给她喝。她不喝。我抚摸她的手，拍她的肩膀，像哄一个婴儿，但是她安静了一会儿又开始躁动。我不断地把她冰冷的手臂放回被窝里，她又固执地将我推开。我把大灯打开，她的幻觉消失，灯一灭，她又回到四十年前既近又远、且真且假的彷徨迷乱世界。

大年初三，二〇〇八年的深夜，若是从外宇宙看过来，这间房里的灯亮了又暗，暗了又亮，一整夜。清晨四时，我下了床，光脚踩在冰冷的地板上，说："妈，既然这样，我们干脆出去散步吧。"帮她穿上最暖的衣服，围上围巾，然后牵着她的手，出了门。

冬夜的街，很黑，犬吠声自远处幽幽传来，听起来像低声呜咽，在解释一个说不清的痛处。

路底有一家灯火通明的永和豆浆店，我对她说："走吧，我带你去吃你家乡浙江淳安的豆浆。"她从梦魇中醒来，乖顺地点头，任我牵着她的手，慢慢走。空荡荡的街，只有我，和那生了我的女人。

路的地面上，有一条很长很长的白线，细看之下，发现是鸟屎。一抬头，看见电线上黑溜溜的一长条，全停满了燕子，成千上万只，悄悄地，凝结在茫茫的夜空里。

冬夜的街，很黑，犬吠声自远处幽幽传来，听起来像低声呜咽，在解释一个说不清的痛处。

为谁

我不懂得做菜，而且我把我之不懂得做菜归罪于我的出身——我是一个外省女孩；在台湾，“外省”其实就是“难民”的意思。外省难民家庭，在流离中失去了一切附着于土地的东西，包括农地、房舍、宗祠、庙宇，还有附着于土地的乡亲和对于生存其实很重要的社会网络。

因为失去了这一切，所以难民家庭那做父母的，就把所有的希望，孤注一掷地投在下一代的教育上头。他们仿佛发现了，只有教育，是一条垂到井底的绳，下面的人可以攀着绳子爬出井来。

所以我这个难民的女儿，从小就不被要求做家事。吃完晚饭，筷子一丢，只要赶快潜回书桌，正襟危坐，摆出读书的姿态，妈妈就去洗碗了，爸爸就把留声机转小声了。背《古文观止》很重要，油米柴盐的事，母亲一肩挑。

自己做了母亲，我却马上变成一个很能干的人。厨房特别大，所以是个多功能厅。孩子五颜六色的画，贴满整面墙，因此厨房也是画廊。餐桌可以围坐八个人，是每天晚上的沙龙。另外的空间里，我放上一张红色的小矮桌，配四只红色的矮椅子，任谁踏进来都会觉得，咦，这不是白雪公主和七个小矮人的客厅吗？

当我打鸡蛋、拌面粉奶油加砂糖发粉做蛋糕时，安德烈和菲利普就坐在那矮椅子上，围着矮桌上一团新鲜可爱的湿面团，他们要把面团捏成猪牛羊马各种动物。蛋糕糊倒进模型，模型进入烤箱，拌面盆里留着一圈甜软黏腻的面糊，孩子们就抢着用小小的手指去挖，把巧克力糊绕满了手指，放进嘴里津津地吸，脸上也一片花糊。

我变得很会“有效率”做菜。食谱的书，放在爬着常青藤的窗台上，长长一排。胡萝卜蛋糕的那一页，都快磨破了；乳酪通心粉、意大利千层面那几页，用得掉了下来。我可以在十分钟内，给四个孩子——那是两个儿子加上他们不可分离的死党——端上颜色漂亮而且维生素 ABCDE 加淀粉质全部到位的食物。然后把孩子塞进车里，一个送去踢足球，一个带去上游泳课。中间折到图书馆借一袋儿童绘本，冲到药房买一只幼儿温度计，到水果店买三大箱果汁，到邮局去取孩子的生日礼物包裹同时寄出邀请卡……然后匆匆赶回足球场接老大，回游泳池接老二，回家，再做晚餐。

母亲，原来是个最高档的全职、全方位 CEO，只是没人给薪水而已。

然后突然想到，啊，油米柴盐一肩挑的母亲，在她成为母亲之前，也是个躲在书房里的小姐吧。

孩子大了，我发现独自生活的自己又回头变成一个不会烧饭做菜的人，而长大了的孩子们却成了美食家。菲利普十六岁就自己报名去上烹饪课，跟着大肚子、带着白色高筒帽的师傅学做意大利菜。十七岁，就到三星米其林法国餐厅的厨房里去打工实习，从削马铃薯皮开始，跟着马赛来的大厨学做每一种蘸酱。安德烈买各国食谱的书，土耳其菜、非洲菜、中国菜，都是实验项目。做菜时，用一只马表计分。什么菜配什么酒，什么酒吃什么肉，什么肉配什么香料，对两兄弟而言，是正正经经的天下一等大事。

我呢，有什么就吃什么。不吃也可以。一个鸡蛋多少钱，我说不上来，冰箱，多半是空的。有一次，为安德烈下面——是泡面，加上一点青菜叶子。

汤面端上桌时，安德烈，吃了两口，突然说：“青菜哪里来的呀？”

儿子睁大了眼睛看着我，认认真真地说：「我不是要你做给我吃。你还不明白吗？我是要你学会以后做给你自己吃。」

我没说话，他直追，“是上星期你买的色拉对不对？”

我点点头。是的。

他放下筷子，一副哭笑不得的神情，说：“那已经不新鲜了呀，妈妈你为什么还用呢？又是你们这一代人的——习惯，对吧？”

他不吃了。

过了几天，安德烈突然说：“我们一起去买菜好吗？”

母子二人到城里头国际食品最多的超市去买菜。安德烈很仔细地来来回回挑选东西，整整三个小时。回到家中，天都黑了。他要我这做妈的站在旁边看着，“不准走开喔。”

他把顶级的澳洲牛排肉展开，放在一旁。然后把各种香料罐，一样一样从架上拿下来，一字排开。转了按钮，烤箱下层开始热，把盘子放进去，保持温度。他把马铃薯洗干净，开始煮水，准备做新鲜的马铃薯泥。看得出，他心中有大布局，以一定的时间顺序在走好几个平行的程序，像一个乐团指挥，眼观八方，一环紧扣一环。

电话铃响。我正要离开厨房去接，他伸手把我挡下来，说：“不要接不要接。留在厨房里看我做菜。”

红酒杯，矿泉水杯，并肩而立。南瓜汤先上，然后是色拉，里头加了松子。主食是牛排，用锡纸包着，我要的四分熟。最后是甜点，法国的soufflé。

是秋天，海风徐徐地吹，一枚浓稠蛋黄似的月亮在海面上升起。

我说：“好，我学会了，以后可以做给你吃了。”

儿子睁大了眼睛看着我，认认真真地说：“我不是要你做给我吃。你还不明白吗？我是要你学会以后做给你自己吃。”

俱乐部

先是，你发现，被介绍时你等着那愣愣的小毛头称呼你“姐姐”，却发现他开口叫的是“阿姨”。你吓一跳——我什么时候变成阿姨了。

然后，有一天开车时被警察拦下来作酒测。他挥手让你走时，你注意到，怎么一向形象高大的“人民保姆”、“警察叔叔”，竟有一张娃娃似的脸，简直就是个孩子警察。以后你就不经意地对那帽子下的脸孔都多看一眼，发现，每一个警察看起来都像孩子。

你逐渐有了心理准备。去医院看病时，那穿着白袍语带权威的医生，看起来竟也是个“孩子”，只有二十九岁。某某大学的系主任递上名片，告诉你他曾上过你的课，然后恭恭敬敬地称你“老师”。

不是人们变小了，是你，变老了。

看你稿件的编辑，有一天，突然告诉你他退休了。你怔怔然若有所失，因为你知道，喔，那么以后跟你谈文章的人，不再是你的“老友”，而是一个可能称你“女士”“先生”或者“老师”的陌生孩子了。

你的自觉慢慢被培养起来。走在人潮汹涌的台北东区或香港旺角，你停下脚步一抬头，就看见，那人潮里一张一张面孔都是青年人。街上一家一家服饰店的橱窗里，站着坐着摆出姿态的模特儿身上，穿的全是里层比外层突出、内衣比外衣暴露的少女装。不知怎么，你被夹在一群叽叽喳喳在衣服堆里翻来翻去的少女中间，她们不时爆发出无厘头且歇斯底里的笑声，你好像走错了门。转身要开出一条路时，后面店员大声唤你："太太，要不要看这个——"你以为她会叫出"欧巴桑"来。你准备好了。

你和朋友在饭店的酒吧台上小坐。靠着落地长窗，钢琴的声音咚咚响着，长发的女郎用假装苍凉的声音低低唱着。窗外的地面有点湿，台北冬天的晚上，总是湿的。一个中年的女人，撑着一把花伞，走过窗前。她的脸上有种凄惶的神情。也许拒绝和她说话的儿子令她烦忧？也许家里有一个正在接受化疗的丈夫？也许，她心中压了一辈子的灵魂的不安突然都在蠢动？

朋友用她纤细的手指夹着红酒杯，盈盈地笑着。五十岁的她，仍旧有一种烟视媚行的美，丰润饱满的唇，涂了口红，在杯口留下一点胭脂。她正在问你，要不要加入她的"俱乐部"。

那是"树海葬俱乐部"。会员自己选择将来要树葬还是海葬，要不要告别式，要什么样的告别式，死后，由其他会员忠实执行。你说："我怕海，太大、太深不可测，还是树葬吧。"她笑说："海葬最省事。"

你又认真想想，说："可是树葬也不代表可以随便到山上找棵树对不对？你还是得在公家规定的某一个墓园里的某一株树下面，对不对？你还是得和很多人挤在一起，甚至于和一个讨厌的人作隔壁那棵树，对不对？"

这种内容的酒吧夜话，渐渐成常态。虽然不都是关于身后的讨论，却总和生命的进程有关。这个人得了忧郁症。于是你们七嘴八舌从忧郁症的失眠、失忆谈起，谈到情绪的崩溃和跳楼自杀。那个人中风了，于是你们从医院的门诊、复健、聊到昏迷不醒时谁来执行遗嘱。悲凉欷歔一番，又自我嘲笑一番。突然静下来，你们就啜一口酒，把那静寂打发掉。

回到家，打开电邮，看见一封远方的来信：

所以我就想到一个办法：我组织了一个「爱生」俱乐部。

十年前，我看见我父亲的慢性死亡。他是在半身不遂了八年之后，吸进一口气就吐不出来，呛死的。八年之中，我是那个为他擦身翻身的人，我是那个看着他虽然腐烂却又无法脱离的人。

所以我就想到一个办法：我组织了一个“爱生”俱乐部。大家非常详细地把所有他绝对不愿意再活下去的状况一一列出，然后会员们互相执行。失去一个成员之后，再招募一个新的成员——是的，像秘密会社。但是我们的俱乐部包括医生、律师等等，以免大家被以谋杀罪名起诉。而且，不可以让家属知道，否则就坏了大事。

你开始写回信：

请传来申请表格。

回 家

三个兄弟，都是五十多岁的人了，这回摆下了所有手边的事情，在清明节带妈妈回乡。红磡火车站大厅里，人潮涌动，大多是背着背包、拎着皮包、推着带滚轮的庞大行李箱、扶老携幼的，准备搭九广铁路北上。就在这川流不息的滚滚红尘里，妈妈突然停住了脚。

她皱着眉头说："这，是什么地方？"

哥哥原来就一路牵着她的手，这时不得不停下来，说："这是香港。我们要去搭火车。"

妈妈露出惶惑的神情，"我不认得这里，"她说："我要回家。"

我在一旁小声提醒哥哥，"快走，火车要开了，而且还要过海关。"

身为医生的弟弟本来像个主治医师一样背着两只手走在后面，就差身上没穿白袍，这时一大步跨前，对妈妈说："这就是带你回家的路，没有错。快走吧，不然你回不了家了。"说话时，脸上不带表情，看不出任何一点情绪或情感，口气却习惯性地带着权威。三十年的职业训练使他在父亲临终的病床前都深藏不露。

妈妈也不看他，眼睛盯着磨石地面，半妥协、半威胁地回答："好，那就马上带我回家。"她开步走了。从后面看她，身躯那样瘦弱，背有点儿驼，手被两个儿子两边牵着，她的步履细碎，一小步接着一小步往前走。

陪她在乡下散步的时候，看见她踩着碎步窸窸窣窣低头走路，我说："妈，不要像老鼠一样走路，来，马路很平，我牵你手，不会跌倒的。试试看把脚步打开，你看——"我把脚伸前，做出笨士兵踢正步的架势，"你看，脚大大地跨出去，路是平的，不要怕。"她真的把脚跨大出去，但是没走几步，又窸窸窣窣低头走起碎步来。

从她的眼睛看出去，地是凹凸不平的吗？从她的眼睛看出去，每一步都可能踏空吗？弟弟在电话里解释："脑的萎缩，或者用药，都会造成对空间的不确定感。"

散步散到太阳落到了大武山后头，粉红色的云霞乍时喷涌上天，在油画似的黄昏光彩里我们回到她的卧房。她在卧房里四处张望，仓皇地说："这，是什么地方？"我指着墙上一整排学士照、博士照，说："都是你儿女的照片，那当然是你家喽。"

她走近墙边，抬头看照片，从左到右一张一张看过去。半晌，回过头来看着我，眼里说不出是悲伤还是空洞——我仿佛听见窗外有一只细小的蟋蟀低低在叫，下沉的夕阳碰到大武山的棱线、喷出满天红霞的那一刻，森林里的小动物是否也有声音发出？

还没开灯，她就立在那白墙边，像一个黑色的影子，幽幽地说："……不认得了。"大武山上最后一道微光，越过渺茫从窗帘的缝里射进来，刚好映出了她灰白的头发。

火车滑开了，窗外的世界迅疾往后退，仿佛有人没打招呼就按下了电影胶卷"快速倒带"，不知是快速倒往过去还是快速转向未来，只见它一幕一幕从眼前飞快逝去。

因为是晚班车，大半旅者一坐下就仰头假寐，陷入沉静，让火车往前行驶的轰隆巨响决定了一切。妈妈手抓着前座的椅背，颤巍巍站了起来。她看看前方，一纵列座位伸向模糊的远处；她转过身来看往后方，列车的门紧紧关着，看不见门后头的深浅。她看向车厢两侧窗外，布帘都已拉上，只有动荡不安的光，忽明

我们都知道了：妈妈要回的「家」，不是任何一个有邮递区号、邮差找得到的家，她要回的「家」，不是空间，而是一段时光。

忽灭、时强时弱，随着火车奔驰的速度像闪电一样打击进来。她紧紧抓着椅背，维持身体的平衡，然后，她开始往前走。我紧跟着亦步亦趋，一只手搭着她的肩膀，防她跌倒，却见她用力地拨开我的手，转身说，“你放我走，我要回家。天黑了我要回家！”她的眼睛蓄满了泪光，声音凄恻。

我把她抱进怀里，把她的头按在我胸口，紧紧地拥抱她，也许我身体的暖度可以让她稍稍安心。我在她耳边说，“这班火车就是要带你回家的，只是还没到，马上就要到家了，真的。”

弟弟踱了过来，我们默默对望；是的，我们都知道了：妈妈要回的“家”，不是任何一个有邮递区号、邮差找得到的家，她要回的“家”，不是空间，而是一段时光，在那个时光的笼罩里，年幼的孩子正在追逐笑闹、厨房里正传来煎鱼的嗞嗞香气、丈夫正从她身后捂着她的双眼要她猜是谁、门外有人高喊“限时挂号拿印章来”……

妈妈是那个搭了“时光机器”来到这里但是再也找不到回程车的旅人。

五百里

我们决定搭火车。从广州到衡阳，这五百二十一公里的铁轨，是一九四九年父母颠沛南下的路途。那时父亲刚满三十，母亲只有二十三岁。虽说是兵荒马乱，他们有得是青春力气。火车再怎么高，他们爬得上去。人群再怎么挤，他们站得起来。就是只有一只脚沾着踏板，一只手抓着铁杆，半个身子吊在火车外面像风筝就要断线，还能闻到那风里有香茅草的清酸甜美，还能看见土红大地绵延不尽，令人想迎风高唱“山川壮丽”。

“火车突然停了，”母亲说：“车顶上趴着一堆人，有一个女的说憋不住了，无论如何要上厕所，就爬下来，她的小孩儿还留在车顶上头，让人家帮她抱一下。没想到，她一下来，车就动了。”

母亲光脚坐在地上织渔网，一边讲话，手却来来回回穿梭，片刻不停。头也不抬，她继续说：“女人就一直哭喊着追火车。那荒地里坑坑巴巴的，还有很多大石头，她边跑边摔跤，但是火车很快，一下子就看不到人了。”

“后来呢？”我坐在母亲对面帮她缠线。她扑嗤一笑，看了我一眼，说：“哪里有什么后来呢？我看那小孩子一定也活不了了，谁还能带着他逃难呢？”

“那还好你们那时还没生我，要不然，我就让你们给丢了。”十五岁的我说。

她轻轻叹了口气，更用力地织起网来。透明的尼龙线极强韧，拉久了，先在手指肉上压出一道一道很深的沟来，再久一点，皮破了，血就汩汩渗出来。要缴我一学期的学费，她要打好几张跟房子一样大的渔网。

我知道我说错话了，因为，他们确实把自己一岁的孩儿留在了衡阳，自己上了火车，以为放在乡下，孩子比较安全。没有人料到，这一分手就是四十年。

此刻，她也仍旧坐在我的对面，眼睛明亮俏皮的姑娘已经八十三岁。卧铺里上层的兄弟们都睡了，剩下我在“值班”，和她继续格斗。火车的轰隆声很有节奏，摇晃着车厢，像一个大摇篮，催人入梦，但是她笔直地坐在铺上，抱着一卷白色的被褥，全身备战。

“睡吧，妈妈。”我苦苦求她。她斩钉截铁地摇头，“我要回家。”

我离开自己的铺，坐到她身边去，贴着她，说：“你躺下，我帮你盖被。”她挪开身体，保持和我的距离，客气地说，“谢谢你。我不睡。”

她一客气，我就知道，她不知道我是谁，以为我是个善意的陌生人了。于是我说：“妈妈，我是你的女儿，小晶。你看看我。”

她转过脸来，盯着我看，然后，极端礼貌，极端有教养地说：“我女儿不在这里。谢谢你。”

“那……至少让我把你的被子弄好，盖住你的脚，好吗？”

我坐回自己的铺上，也把被子盖住自己的膝盖，就这么和她默默对坐，在这列万般静寂的午夜火车上。

火车慢下来，显然进入一个中途站，我把窗帘微微拉开，看见窗外“韶关”两个大字。

韶关，那是南华寺所在，曹溪河畔。万历《曹溪通志》说，南朝梁武帝天监元年，公元五〇二年，印度高僧智药三藏发现这里“山水回合，峰峦奇秀，叹如西天宝林山也”，于是建寺。唐朝，公元六七七年，六祖慧能来到宝林寺，在此说法三十七年，使南宗禅法大播于天下。宋开宝元年，公元九六八年，太祖赐额改名“南华禅寺”。也是在这里，“文革”期间，六祖慧能的金身被拖出来打断。

时光，是停留是不停留？记忆，是长的是短的？一条河里的水，是新的是旧的？每一片繁花似锦，轮回过几次？

火车再度开动，我趴下来，把耳朵附在床垫上，可以感觉火车的轮子碾过铁轨，大地一寸一寸地震动。这五百里路，慧能曾经一步一步走过。我的父亲母亲，曾经一寸一寸走过。时光，是停留是不停留？记忆，是长的是短的？一条河里的水，是新的是旧的？每一片繁花似锦，轮回过几次？

夜虽然黑，山峦的形状却异样地笃定而清晰，星星般的灯火在无言的树丛里闪烁。蓦然有白雾似的光流泻过来，那是另外一列夜行火车，由北往南驶来，和我们在沉沉的夜色里擦身而过。

母亲坐在我对面，忽隐忽现的光，落在她苍茫的脸上。

菊花

总编辑中风了，入住加护病房，昏迷指数四，不能言语。一个星期以后，当医生说可以开放探病时，菊花就匆匆赶过去，还抱着电脑，里头全是下一期有问题的稿子，这年头，年轻记者的笔愈来愈差。仅只是把“日以继夜”改为“夜以继日”都招来诧异的眼光。年轻人觉得：这有什么关系，反正大家都这么说。总编辑在处理这些基本作文时，总是用一种既生气又无奈的眼光看着记者的背影。如果记者是个漂亮的小女生，他就会先扬头甩一甩他额前垂下来的头发，用他自觉非常磁性迷离的低音，说：“嗯？学到了吗？”他讲的“嗯”，全是鼻音。因为他帅，漂亮的女记者也多半会回报以正确剂量的娇怯。

菊花几乎是披头散发地出现在病房口，差点撞上从里面走出来的一个女人，女人冷漠地瞄她一眼，面无表情地走远。望着她的背影，菊花突然想起来，这不就是总编辑分居多时的太太吗？

用布帘隔开，两个人分一个病房。菊花先看见那别人——一个农民长相的老头，瘦得仿佛六十年代越共的相片，整个脸颊瘪陷出两个坑，一对骷髅似的眼睛大大地睁着，好像大白天撞见了什么让他吃惊的事情。

总编辑的样子倒没把菊花吓到。一切如她所想象：他两眼紧闭，但眼球在眼皮底下不安分地滚动；头上身上七七八八的橡皮管子缠来缠去。他的头偏向一边，载重负荷辛苦地呼吸着，发出呼噜呼噜如厨房水管堵塞的声音。他的手臂伸在被褥外面，手指像火灾烧焦的人似的弯曲僵硬。聘来的看护工，一个矮小粗壮的男人，正在揉搓他的腿，一面啪啪拍打，打得很响，一面和访客有一句没一句寒暄："都是死肉啦。像面团啦。他很重，大小便都很麻烦啦。翻过来翻过来，要拉你的左腿啦。"

菊花骇然——这看护粗暴的动作和语言，显然已经把病人当作无知无觉的死人在处理，当着访客的面。早到的执行主编坐在靠墙沙发上，用眼神要菊花也坐下，一副有话要说的样子。但是看护拍打肉体的声音——菊花联想起苍蝇拍子，打在这极小的病房里显得特别大声又刺耳，菊花几乎想起身去看看那隔壁的老头是不是露出吓人的表情。看护又不停地说话："昨晚都没睡，这种病人我看多了啦，半年都不会醒啦我保证——钱都是白花的啦……"

菊花总算断断续续听懂了执行主编所描述的目前状况。她问："那怎么办呢？开不开刀也不能等那么久啊？"看护突然插进来，"对啊，我看过一个做了气切的，第二天就挂了。"

临走时，菊花和执行主编你一言我一句地对看护解释这位总编辑是多么多么重要的人物，他对社会的贡献有多么多么大，因此郭先生您作为他的看护对社会的贡献有多么多么大，我们做朋友的对您的感激有多么多么的深。说完，两个人对着郭先生深深一鞠躬，像日本人在玄关送客时鞠躬那么深，然后合声说："请多多照顾。"

菊花回到家中，报纸摊一地，浴室的日光灯坏了。在黑暗里胡乱冲了一个澡，在厨房里快手快脚泡了一碗方便面，她捧着方便面坐到书桌前，打开电脑，写电邮给她分居八年的丈夫：

> 我告诉你一个发生在我朋友身上的故事……分开很多很多年了，但是他一直不肯和她办离婚手续，现在他昏迷了，他的直系家属都不能为他做

怎么就知道，你活得比我长呢？
时间才是最后的法官。

主开刀，只有法律上的配偶才有权签字。现在，他的配偶，就决定保留他的“现状”，让他做一个完整无瑕的植物人终其一生。怎么样？你愿意和我办离婚手续了吗？

菊花写完，按下“发出”，还留一个副本给自己存档，对着幽暗的房间呼出一口长长的气，然后起身到厨房里找牛奶。牛奶全过期了，她只好带着一杯冷开水回到书桌，发现回复的信已经进来。那个远方的男人写的是：

怎么就知道，你活得比我长呢？时间才是最后的法官。

母亲节

收到安德烈的电邮，有点意外。这家伙，不是天打雷劈的大事——譬如急需钱，是不会给他母亲发电邮的。不知怎么回事，有这么一大批十几二十岁左右的人类，在他们广阔的、全球覆盖的交友网络里——这包括电邮、MSN、FACEBOOK、Bebo、Twitter、聊天室、手机简讯等等，“母亲”是被他们归入spam（垃圾）或“资源回收筒”那个类别里去的。简直毫无道理，但是你一点办法都没有。高科技使你能够“看见”他，譬如三更半夜时，如果你也在通宵工作，突然“叮”一声，你知道他上网了。也就是说，天涯海角，像一个雷达屏幕，他现身在一个定点上。或者说，夜航海上，茫茫中突然浮现一粒渔火，分明无比。虽然也可能是万里之遥，但是那个定点让你放心——亲爱的孩子，他在那里。

可是高科技也给了他一个逃生门——手指按几个键，他可以把你“隔离”掉，让那个“叮”一声，再也不出现，那个小小的点，从你的“爱心”雷达网上彻底消失。

朋友说，送你一个电脑相机，你就可以在电脑上看见儿子了。我说，你开玩笑吧？哪个儿子愿意在自己电脑上装一个“监视器”，让母亲可以千里追踪啊？这种东西是给情人，不是给母子的。

我问安德烈，你为什么都不跟我写电邮？

他说：妈，因为我很忙。

我说：你很没良心耶。你小时候我花多少时间跟你混啊？

他说：正常一点。

我说：为什么不能跟我多点沟通呢？

他说：因为你每次都写一样的电邮，讲一样的话。

我说：才没有。

他说：有，你每次都问一样的问题，讲一样的话，重复又重复。

我说：怎么可能，你乱讲！我这么聪明的人，怎么可能？

打开安德烈的电邮，他没有一句话，只是传来一个网址，一则影像——“我很无聊网”，已经有四千个点击，主题是“与母亲的典型对话”。作者用漫画手法，配上语音，速描出一段自己跟妈妈的对话：

> 我去探望我妈。一起在厨房里混时间，她说：“我烧了鱼。你爱吃鱼吧？”
>
> 我说：“妈，我不爱吃鱼。”
>
> 她说：“你不爱吃鱼？”
>
> 我说：“妈，我不爱吃鱼。”
>
> 她说：“是鲔鱼呀。”
>
> 我说：“谢谢啦。我不爱吃鱼。”
>
> 她说：“我加了芹菜。”
>
> 我说：“我不爱吃鱼。”
>
> 她说：“可是吃鱼很健康。”
>
> 我说：“我知道，可是我不爱吃鱼。”
>
> 她说：“健康的人通常吃很多鱼。”
>
> 我说：“我知道，可是我不吃鱼。”

我问安德烈，你为什么都不跟我写电邮？他说，妈，因为我很忙。我说，你很没良心耶。你小时候我花多少时间跟你混啊？他说：理智一点。（殷允芃摄）

她说："长寿的人吃鱼比吃鸡肉还多。"

我说："是的，妈妈，可是我不爱吃鱼。"

她说："我也不是在说，你应该每天吃鱼鱼鱼，因为鱼吃太多了也不好，很多鱼可能含汞。"

我说："是的，妈妈，可是我不去烦恼这问题，因为我反正不吃鱼。"

她说："很多文明国家的人，都是以鱼为主食的。"

我说："我知道，可是我不吃鱼。"

她说："那你有没有去检查过身体里的含汞量？"

我说："没有，妈妈，因为我不吃鱼。"

她说："可是汞不只是在鱼里头。"

我说："我知道，可是反正我不吃鱼。"

她说："真的不吃鱼？"

我说："真的不吃。"

她说："连鲔鱼也不吃？"

我说："对，鲔鱼也不吃。"

她说："那你有没有试过加了芹菜的鲔鱼？"

我说："没有。"

她说："没试过，你怎么知道会不喜欢呢？"

我说："妈，我真的不喜欢吃鱼。"

她说："你就试试看嘛。"

所以……我就吃了，尝了一点点。之后，她说，"怎么样，好吃吗？"

我说："不喜欢，妈，我真的不爱吃鱼。"

她说："那下次试试鲑鱼。你现在不多吃也好，我们反正要去餐厅。"

我说："好，可以走了。"

她说："你不多穿点衣服？"

我说："外面不冷。"

她说："你加件外套吧。"

我说："外面不冷。"

她说："考虑一下吧。我要加件外套呢。"

我说："你加吧。外面真的不冷。"

她说："我帮你拿一件？"

我说："我刚刚出去过，妈妈，外面真的一点也不冷。"

她说："唉，好吧。等一下就会变冷，你这么坚持，等着瞧吧，待会儿会冻死。"

我们就出发了。到了餐厅，发现客满，要排很长的队。这时，妈妈就说，"我们还是去那家海鲜馆子吧。"

这个电邮，是安德烈给我的母亲节礼物吧？

两本存折

是的，我也有两个秘密账户，两本秘密存折。两个账户，都无法得知最终的累积或剩余总数，两本存折，记载的数字每天都在变动，像高高悬在机场大厅的电动飞机时刻表，数字不停翻滚。

我知道两件事：一个存折里，数字一直在增加，另一个存折里，数字一直在减少。数字一直在增加的存折，是我自己的；数字一直在减少的那一本，是别人给我的。

于是有一天，我带着那本不断增加的存折去见一个头戴黑色斗篷看起来像魔术师的理财专家，请教他，怎样可以使我的这本存折更有价值。

“价值？”桌子对面的他露出神秘的微笑，上身不动，忽然整个人平行飘滑到桌子的左边，我用眼睛紧紧跟随，头也扭过去，他却又倏忽飘回我正对面，眼神狡猾地说，“小姐，我只能告诉你如何使这里头的‘数字’增加，却无法告诉你如何使这数字的‘价值’增加。”

数字，不等同价值。也就是说，同样是一千万元，我可以拿去丢进碎纸机里绞烂，可以拿去纸扎八艘金碧辉煌的王船，然后放一把火在海面上烧给神明，也可以拿去柬埔寨设立一个艾滋孤儿院。

这不难，我听懂了。我弯腰伸手到我的环保袋里，想把另一本存折拿出来，却感觉这人已经不在了；一抬头，果然，对面的黑色皮椅正在自己转圈，空的。皮椅看起来也没有人的体温。一支接触不良的日光灯，不知在哪里，嗞嗞作响。

我叹了一口气，缓缓走出银行。银行外，人头攒动，步履匆忙。疾步行走的人在急速穿梭人堆时，总是撞着我肩膀，连"对不起"都懒得出口，人已经走远。一阵轻轻的风拂来，我仿佛在闹市里听见树叶簌簌的声音，抬头一看，是一株巨大的玉兰，开遍了润白色的花朵，满树摇曳。我这才闻到它微甜的香气。

就在那株香花树下，我紧靠着树干，让人流从我前面推着挤着涌过。从袋里拿出我另一本存折，一本没人可询问的存折。

存折封面是一个电子日历。二〇〇八年五月有三十一个小方格，每一个方格里，密密麻麻都分配着小字：

05-01 09:00 高铁到屏东探母

05-12 18:00 钱永祥晚餐

05-25 15:00 马家辉谈文章

05-26 19:00 安德烈晚餐

05-28 10:00 主持高行健研讨会

05-30 20:00 看戏

06-01 16:00 会出版社……

轻按一下，就是六月的三十个小方格，也有密密麻麻的字；再按一下，七月的三十一个方格，密密麻麻的字；八月的三十一个方格里，全是英文，那是南非开普敦，是美国旧金山，是德国汉堡……

不必打开，我就知道，存折里头，谁装了一个看不见的沙漏。

因为无法打开，看不见沙漏里的沙究竟还有多少，也听不见那漏沙的速度有多快，但是可以百分之百确定的是，那沙漏不停地漏，不停地漏，不停地漏……

因为无法打开，看不见沙漏里的沙究竟还有多少，也听不见那漏沙的速度有多快，但是可以百分之百确定的是，那沙漏不停地漏，不停地漏，不停地漏……

有一片花瓣，穿过层层树叶飘落在我的存折封面，刚好落在了十二月三十一日那一格。玉兰的花瓣像一尾汉白玉细细雕出的小舟，也像观音伸出的微凹的手掌心，俏生生地停格在十二月三十一日。

我突然就明白了：原来，这两本存折之间，是有斩钉截铁的反比关系的。你在那一本存折所赚取的每一分“金钱”的累积,都是用这一本存折里的每一寸“时间”去换来的。而且，更惊人的，“金钱”和“时间”的两种“币值”是不流通、不兑换、不对等的货币——一旦用出，你不能用那本存折里的“金钱”回头来换取已经支付出去的“时间”。任何代价、任何数字，都无法兑换。

是的，是因为这样，因此我对两本存折的取用态度是多么的不同啊。我在“金钱”上愈来愈慷慨，在“时间”上愈来愈吝啬。“金钱”可以给过路的陌生人，“时间”却只给温暖心爱的人。十二月三十一日，从今日空出。我将花瓣拿在手指间，正要低眉轻嗅，眼角余光却似乎瞥见黑斗篷的一角翩翩然闪过。

幸 福

幸福就是，生活中不必时时恐惧。

开店铺的人天亮时打开大门，不会想到是否有政府军或叛军或走投无路的饥饿难民来抢劫。

走在街上的人不必把背包护在前胸，时时刻刻戒备。

睡在屋里的人可以酣睡，不担心自己一醒来发现屋子已经被强制拆除，家具像破烂一样丢在街上。

到杂货店里买婴儿奶粉的妇人不必想奶粉会不会是假的，婴儿吃了会不会死。买廉价的烈酒喝的老头不必担心买到假酒，假酒里的化学品会不会让他瞎眼。江上打鱼的人张开大网用力抛进水里，不必想江水里有没有重金属，鱼虾会不会在几年内死绝。

小学生一个人走路上学，不必顾前顾后提防自己被绑票。到城里闲荡的人，看见穿着制服的人向他走近，不会惊慌失色，以为自己马上要被逮捕。被逮捕的人看见警察局不会吓得发抖，知道有律师和法律保护着他的基本权利。已经坐在牢里的人不必害怕被社会忘记，被当权者灭音。到机关去办什么证件的市井小民不必准备受气受辱。在秋夜寒灯下读书的人，听到巷子里突然人声杂沓，拍门呼叫他的名字，不必觉得大难临头，把所有的稿纸当场烧掉。

幸福就是，从政的人不必害怕暗杀，抗议的人不必害怕镇压，富人不必害怕绑票，穷人不必害怕最后一只碗被没收，中产阶级不必害怕流血革命，普罗大众不必害怕领袖说了一句话，明天可能有战争。

幸福就是，寻常的日子依旧。水果摊上仍旧有最普通的香蕉。市场里仍旧有一笼一笼肥胖的活鸡。花店里仍旧摆出水仙和银柳，水仙仍然香得浓郁，银柳仍然含着毛茸茸的花苞。俗气无比、大红大绿的金橘和牡丹一盆一盆摆满了骑楼，仍旧大红大绿、俗气无比。银行和邮局仍旧开着，让你寄红包和情书到远方。药行就在街角，金铺也黄澄澄地亮着。电车仍旧叮叮响着，火车仍旧按时到站，出租车仍旧在站口排队，红绿灯仍旧红了变绿，消防车仍旧风风火火赶路，垃圾车仍旧挤挤压压驶进最窄的巷子。打开水龙头，仍旧有清水流出来；天黑了，路灯仍旧自动亮起。

幸福就是，机场仍旧开放，电视里仍旧有人唱歌，报摊上仍旧卖着报纸，饭店门口仍旧有外国人进出，幼儿园里仍旧传出孩子的嬉闹。幸福就是，寒流来袭的深夜里，医院门口“急诊室”三个字的灯，仍旧醒目地亮着。

幸福就是，寻常的人儿依旧。在晚餐的灯下，一样的人坐在一样的位子上，讲一样的话题。年少的仍旧叽叽喳喳谈自己的学校，年老的仍旧唠唠叨叨谈自己的假牙。厨房里一样传来煎鱼的香味，客厅里一样响着聒噪的电视新闻。

幸福就是，头发白了、背已驼了、用放大镜艰辛读报的人，还能自己走到街角买两副烧饼油条回头叫你起床。幸福就是，平常没空见面的人，一接到你午夜仓皇的电话，什么都不问，人已经出现在你的门口，带来一个手电筒。幸福就是，在一个寻寻常常的下午，和你同在一个城市里的人来电话平淡问道，“我们正要去买菜，要不要帮你带鸡蛋牛奶？你的冰箱空了吗？”

幸福就是，虽然有人正在城市的暗处饥饿，有人正在房间里举起一把尖刀，有人正在办公室里设计一个恶毒的圈套，有人正在荒野中埋下地雷，有人正在强暴自己的女儿，虽然如此，幸福就是，你仍旧能看见，在长途巴士站的长凳上，

幸福就是，早上挥手说「再见」的人，晚上又平平常常地回来了，书包丢在同一个角落，臭球鞋塞在同一张椅下。

一个婴儿抱着母亲丰满的乳房用力吸吮，眼睛闭着，睫毛长长地翘起。黑沉沉的海上，满缀着灯火的船缓缓行驶，灯火的倒影随着水光荡漾。十五岁的少年正在长高，脸庞的棱角分明，眼睛清亮地追问你世界从哪里开始。两个老人坐在水池边依偎着看金鱼，手牵着手。春天的木棉开出第一朵迫不及待的红花，清晨四点小鸟忍不住开始喧闹，一只鹅在薄冰上滑倒，拙态可掬，冬天的阳光照在你微微仰起的脸上。

幸福就是，早上挥手说“再见”的人，晚上又平平常常地回来了，书包丢在同一个角落，臭球鞋塞在同一张椅下。

最后的下午茶

从一月十三日开始，我每个星期日到大理街去。冬日的下午四点，常常下着小雨，带点寒意。我们总是开了暖气，燃起灯，泡好了热茶，才开始谈话。

一辈子拒绝写回忆录、不愿意被采访的余先生对摆在桌面上的几部录音机有点儿不惯，也不让我把小麦克风别在他襟上。好，不要就不要，你别怕录音机，我不也在作笔记吗？

讲到东北战争的细节，情感的冲动使他忘了录音机的威胁，抓起麦克风当道具：喏，这是沈阳，这是长春，公主岭在那边……，更激动的时候，就把笔从我手中拿去，直接在我的笔记本上画起作战地图来。

我们一小时又一小时地谈，窗外夜色越来越黑，到了晚饭时刻，管家把饭菜摆上了桌，渐渐凉掉，凉掉了再热。有一晚，起身去用餐时发现已是夜里九点，他已经口述了五小时，却一点也不想停止。我坐在那儿发慌：回忆像甜苦的烈酒，使他两眼发光，满蓄的感情犹如雪山融化的大河涌动，我们该谈下去谈下去，彻夜谈下去不要停。可是他猛烈地咳嗽,不得不硬生生地煞住：好，今天就到这里吧。

他很虚弱，从回忆的缠绵迷宫中抽身而出，显得不太舍得。到了饭桌上，他又开始叙述起来，我于是干脆将收好的录音机又取出来，把盛饭声、喝汤声、咳嗽声、笑声和历史的空谷回音一并录进。

好几个下午和夜晚，风雨无阻地，我们坐在灯下工作。有时候我带来一把乱七八糟的糖果，问他吃不吃，他总是说“吃”。于是我们一人一个，剥糖纸吃糖。我放纵自己想喝浓咖啡，问他喝不喝，他总是说“喝”。于是我们一人一杯滚烫的咖啡，慢慢儿喝，就在那冬日暖炉边。我不知道他的身体状况究竟容不容许吃糖果喝浓咖啡，但是他兴致盎然，好像在享受一场春日的下午茶。糖果纸是花花绿绿的玻璃纸，剥起来发出脆脆的声响，灯光照着，泛出一团炫丽。

有一天晚上在叙述中碰到一个细节，“这我说不清了，”他说，“可是白先勇知道，你打电话给他。”

算算时间，是美国西部的清晨两点。我犹豫着，他也犹豫着。

然后他下了决定，说：“打吧！”

回忆真的是一道泄洪的闸门，一旦打开，奔腾的水势慢不下来。

电话不断地拨，总是传真的声音，试了许久，只好放弃。他露出孩子似的失望的表情，我也垂头丧气。

他又拾起一颗糖，慢慢儿地在剥那五彩缤纷的糖纸。房子静悄悄的，时间是一只藏在黑暗中的温柔的手，在你一出神一恍惚之间，物走星移。

我看见一个眼睛清亮的四岁孩子在北京的胡同里吃糖，溥仪刚退位；我看见一个十岁的学童在江苏的村子里看《史记》，直皖战争爆发；我看见一个十来岁奶声奶气却故作老成的少年在上海读《饮冰室文集》被梁启超深深震动，“五卅惨案”正在发生；我看见一个英气逼人的二十岁青年在南京街头追打误国的外交部长，“九一八”事变震惊了全世界；我看见一个心里藏着深情、眼睛望向大海的年轻人忧郁地踏上驶往伦敦的轮船，怀里揣着姊姊给的手帕，蒋委员长正在进行对共军的第四次围剿，毛泽东的部队遭到胡宗南的突袭，损失惨重。我看见……

我看见一个文风郁郁的江南所培养出来的才子，我看见一个只有大动荡大乱世才孕育得出来的打不倒的斗士，我看见一个中国知识分子的当代典型——他的背脊直，他的眼光远，他的胸襟大，他的感情深重而执著，因为他相信，真的相信：

應云：在憔悴的時候我真感無限
的抱歉以已殘廢的才女姿態甚至背了
那麼重的去化一而再再而三的希
望寫出我的一生我無有幸何
在我的歷史過程中熬十年終有幸
有朝日從想為國家盡點力也值得要忘記
載難得有你這樣有你這份熱情每
次看到你的信我真是感念之集
但是我不得不告訴你現在我是百病之集
於一身病入膏肓我想我們寫書之約祇能
俟諸異日了非常感謝你紀念你的
好
綠姬手啟 一二、六、二七

士，不可以不弘毅。

我看见一个高大光明的人格。

可是鲸鱼也有浅滩的困境。动完剧烈的手术再度出院，他在思索静养的地方。我说，太湖边吧！你是水乡的孩子，到湖边去休息，看看水和柳树，放一箱线装书在柳树下，线装书书目我提供，从陆游《入蜀记》到苏轼诗集，我帮你准备。

他好像在听一个不可及的梦想，又仿佛在夜行暗路上突然听见熟悉的声音，轻轻呼唤自己的名字，带点不可思议的向往与情怯：是啊，太湖边、柳树下、线装书……

半晌，他回过神来，深深叹了口气。

我知道，我知道那叹气的意思。余先生，我平和地说，没有人，没有任何人，可以剥夺一位九十岁的人回到他故乡的权利。

我很平和地说，可是心里有说不出的痛楚。

他没有去太湖，他去了日本，去了新西兰。风光明媚如画的地方，但是，那里没有一个龟头渚，渚上有小屋，屋中曾有一个一九三二年，男女同学在星空水光中流着眼泪唱着歌，谈抛头颅洒热血、谈救国家救民族……

从新西兰休息回来，我发现，他已经衰弱到无力叙述的程度。从新西兰一路抱回来的绒毛黑狗，他说："送给你。"黑狗明显的是只婴儿狗，幼稚可爱得令人难以抗拒，我抱着上班。可是他怎么会买玩具狗？九十三岁的眼睛和四岁，竟是同一双眼睛？灵魂里，还是那看《史记》的孩子、深情而忧郁的青年？

在病房里，握起他仍旧温暖的手，我深深弯下；眼泪滴在他手背上。江南的孩子啊，带着我们的不舍和眼泪，你上路吧。如果这个世界这个世纪的种种残忍和粗暴不曾吓着你，此去的路上也只有清风明月细浪拍岸了。不是渐行渐远，而是有一天终要重逢；你的名字，清楚地留在世纪的史记里。

原载于《中国时报·人间副刊》，二〇〇二年四月十一日附记：余纪忠先生（1910—2002），江苏武进人，国立中央大学毕业，后赴英国伦敦政经学院就读。一九四九年来台后，创办台湾大报之一《中国时报》，余先生戒严时代守护知识与真相，不遗余力，树立了一代报人之典范。

II

沙上有印，风中有音，光中有影

路过一场草地上的婚礼。白色的帐篷一簇一簇搭在绿色的草坪上，海风习习，明月当空，凤凰木的细叶在夜空里飘散，像落花微微。几百个宾客坐在月光里，乐队正吹着欢愉的小喇叭。

寻　找

我很忙，真的，尽量不要请我演讲、座谈、写序或是什么推荐信。我真的很忙。

我寄住在一个岛上。这个岛的面积，如果不包括它旁边突出来让海鸥打个盹的大小岩石，大概只有七十六平方公里，也就是说，直走个八公里路，横行个九公里半，再走就要掉到海里去了。

岛的位置，据说是北纬二十二度十一分，东经一一三度三十二分。台湾的嘉义有个二十三度线，对，你往下走大约八百〇八点八二公里，就会碰到我。

碰到我时，不要跟我打招呼，我一定正在忙，忙着望出我的窗外，盯着窗外这一片浓绿的树林。

是这样的。我搬来这北纬二十二度十一分、东经一一三度三十二分的第一个春天，二〇〇四年二月一日星期天——你可以去查证日期；因为早春的风从西边非常轻柔、轻柔地弥漫过来，带着海洋的鲜凉味，我就不知不觉捧着书坐到了面海的阳台上。那是一本刚刚出版的德文书，一个德国作家写他从柏林徒步行走到莫斯科的纪实——那是一千六百〇七点九九公里。读着读着，我开始感觉不舒服，心悸，难过。

放下书，眺望海面，慢慢地，像一个从昏迷中逐渐苏醒的人，我一点一点明白起来。让我心悸、难过、不舒服的，不是海面上万吨巨轮传来的笛鸣，也不是那轻柔的海风里一丝丝春寒料峭。是有一只鸟，有一只鸟，一直在啼。

它的凄苦哀叫，离开了海面，穿越我的头上，到了另一头，就是我卧房外面的树林。我抓着望远镜奔到窗口，瞄准了树林。

从我高高的阳台到平躺着的大海水面，是一片虚空。所谓空，当然其实很挤，就是说，有夕阳每天表演下海的慢动作，有岛屿一重又一重与烟岚互扯，有黄昏时绝不迟到的金星以超亮的光宣传自己来了，有上百艘的船只来来去去，有躁动不安的海鸥上上下下，有不动声色的老鹰停在铁塔上看着你，有忙得不得了一直揉来揉去的白云——还常常极尽轻佻地变换颜色，有灰色的雨突然落下来，有闪电和雷交织，好像在练习走音的交响曲，有强烈阳光，从浮动的黑云后面直击海面忽闪忽灭，像灯光乱打在一张没有后台的舞台上。

可是整个空间像万仞天谷。在这万仞天谷中，有一只鸟，孤单一只鸟，啼声出奇地洪亮，充满了整个天谷，一声比一声紧迫，一声比一声凄厉。我放下书，仔细听，听得毛骨悚然，听得满腔难受，怎么听，都像是一个慌张的孩子在奔走相告：

苦啊！苦啊！苦啊！苦啊！

怎么会有这样的鸟，巨大的声音，跨越整个树林和海面，好像家中失了火，满村子哀告：苦啊，苦啊，苦啊，苦啊……

我飞奔进卧房里拿眼镜。我飞奔进书房里拿望远镜。我飞奔回阳台，像潜水艇浮出海面的侦察雷达，我全神贯注，看。

它的凄苦哀叫，离开了海面，穿越我的头上，到了另一头，就是我卧房外面的树林。我抓着望远镜奔到窗口，瞄准了树林。

它的啼泣，大到盖住了汽车行驶的声音。树林很深，它继续哀哭：苦啊，苦啊。我努力地看，却怎么也看不见它。窗外一片树林，成群的凤头雪鹦鹉我看见，悠乎游乎的老鹰我看见，但是，我看不见那家中出了事的苦儿。

我很忙，因为我一直在找它。我不知道它的长相，也不知道它的名字。你如何从“苦啊苦啊”的声音，上网去查出它究竟是谁？

两个月后，一个上海老朋友来访。我泡了碧螺春，和他并肩坐在阳台上看海。蓦然间，一声晴天霹雳的“苦啊——”，从树林深处响起。我惊跳起来，朋友讶异地“哎呀”出口，说：“嗄，怎么香港有杜鹃啊？”

忧 郁

从二月第一个礼拜开始，薄扶林的杜鹃开始啼叫；像装了扩音器，苦不堪言的悲啼从海面往我的阳台强力放送。从清晨，到清晨，二十四小时不歇止的如泣如诉，尤其在晨昏隐晦、万物唯静的时刻，悲哀响彻海天之间。它使我紧张、心悸，使我怔忡不安，使我万念俱灰，使我想出家坐禅。

怎么会这样呢？三月杂树生花、柳絮满天时，很多人会得花粉热，泪水喷嚏不停。但是，有人得过“杜鹃忧郁症”吗？

我忙着查资料，这一查，吓了一跳。谁说我的症状特别呢？

白居易的《琵琶行》就写到他听见的声音：“住进湓城地低湿，黄芦苦竹绕宅生。其间旦暮闻何物，杜鹃啼血猿哀鸣。”

杜牧也曾经一边听杜鹃，一边写诗：“蜀客春城闻蜀鸟，思归声引来归心。却知夜夜愁相似，尔正啼时我正吟。”

这一首木公的诗，更凄惨：“山前杜宇哀，山下杜鹃开，肠断声声血，即行何日回。”

重读秦观的《踏莎行》，简直就是典型的忧郁患者日志：“雾失楼台，月迷津渡，桃源望断无寻处，可堪孤馆闭春寒，杜鹃声里斜阳暮。”

满脑子理学的朱熹，听了杜鹃也忍不住叹息：“不如归去，孤城越绝三春暮。”

我好奇，研究生物的李时珍会怎么说这不寻常的鸟？

“杜鹃，出蜀中，今南方亦有之。状如雀鹞，而色惨黑，赤口有小冠，春暮即鸣，夜啼达旦，鸣必向北，至夏尤甚，昼夜不止，其声哀切。”

我的阳台面对西南，而杜鹃北向而鸣，难怪了，它每天正是冲着我的阳台在叫的。“夜啼达旦，其声哀切”，李时珍显然也曾因为杜鹃的哀啼而彻夜失眠。

《格物总论》称杜鹃为“冤禽”。读到这两个字，我赶忙把窗关上。“冤禽，三四月间夜啼达旦，其声哀而吻血。”李时珍只说它“哀切”，这里说它“哀而吻血”了，仿佛杜鹃哭得一嘴湿淋淋的鲜血。此时窗外一片黝黑，杜鹃一声比一声紧迫，我打了一个冷颤。这比爱伦坡的《乌鸦》还要惊恐。

其声悲苦，必定含冤，所以《蜀志》里记载，杜鹃是望帝化身的。他把帝位让给能治水的鳖灵，后来想取回时，却不可得，于是化为“冤”鸟，整日哀啼。远古的蜀人，显然和今天住在海边的我一样，对杜鹃啼声的“哀而吻血”觉得无比难受，所以非得找出一个“理由”来解释它的诡谲。有了解释，所有难以理解的事情，都能以平常心看待了。

杜鹃不只出现在诗里，也出现在小说中。元朝的《瑯环记》，读来像个完整的“病历”叙述：“昔有人饮于锦城谢氏，其女窥而悦之。其人闻子规啼。心动，即谢去。女甚恨，后闻子规啼，则怔忡若豹鸣也，使侍女以竹枝驱之曰：豹，汝尚敢至此啼乎？”

这个“病历”里，两个人都有病。男子听了杜鹃哀啼，得了心悸，就断绝了一份感情，匆匆远离。那动了感情的女子，恋情无所着落，此后凡听见杜鹃，就出现“怔忡”症状。

有一天，杜鹃的泣声又从海那边响起。我冲到阳台，凝神看海面，希望看见那“状如雀鹞，而色惨黑”的苦主。可是海上一片风云动摇，光影迷离，任我怎么定睛专注，都看不见杜鹃的踪迹，拍下那一刻，是二月四日下午四时二十一分。

我冲到阳台，凝神看海面，希望看见那「状如雀鹞，而色惨黑」的苦主，可是海上一片风云动摇，光影迷离，任我怎么定睛专注，都看不见杜鹃的踪迹。

每年二月第一个礼拜它突然抵达，五月最后一个礼拜它悄然消失，然后蝉声大作。我的症状，六月开始平静，然后不知为何，心里就开始暗暗等着它明春的回头。这春天忧郁症，竟是没药可治的了。

我 村

香港仔是“我村”。“我村”的意思就是，在这一个小村里，走路就可以把所有的生活必需事务办完。

早上十点，先去银行。知道提款机在哪个角落，而且算得出要等多久。两三个月一次，你进到银行里面去和专门照顾你的财务经理人谈话。坐在一个玻璃方块内，他把你的财务报表摊开。他知道你什么都不懂，所以用很吃力的国语认真地对你解释什么是什么。有一天，他突然看着你说 ：“我走了，你怎么办？ ”好像一个情人要去当兵了，担心女朋友不会煮饭。原来他要跳槽去了。

十一点，到二楼美容院去洗头。长着一双凤眼的老板娘一看到你，马上把靠窗的那张椅子上的报纸拿开，她知道那是你的椅子。她也知道你的广东话很差，所以不和你聊天，但是她知道你若是剪发要剪什么发型，若是染发用的是什么植物染料 ；在你开口以前，她已经把咖啡端过来了。

十二点，你跨过两条横街，到了邮局，很小很小的一间邮局。你买了二十张邮票，寄出四封信。邮务员说 ：“二十文。”“二十块”说“二十文”，总让你觉得好像活在清朝。但是还没完，他的下一句是 ：“你有碎银吗？ ”没有，你没有“碎银”，因此他只好打开抽屉，设法把你的五百大钞找开，反倒给了你一堆“碎银”。

带着活在清朝的感觉走出邮局，你走向广场，那儿有家屈臣氏，可以买些感冒喉片糖浆。你准备越过一个十字路口，不能不看见十字路口那个小庙，不到一个人高，一米宽，矮墩墩地守在交通忙乱的路口。蹲下来才看得见小庙里头端坐着六个披金戴银的神像，香火缭绕不绝。出租车在川流不息的人群里挤来挤去，庙口的信徒拈香跪拜，一脸虔敬，就在那川流不息的人潮车阵里。矮墩墩的庙却有个气势万里吞云的名字：大海王庙。庙的对联写着："大德如山高，王恩似海深"。信徒深深拜倒。

广场，像一个深谷的底盘，因为四周被高楼密密层层包围。高楼里每一户的面积一定是局促不堪的，但是没有关系，公共的大客厅就在这广场上。你看过鸽子群聚吗？香港仔的广场，停了满满的人，几百个老人家，肩并肩坐在一起，像胖胖的鸽子靠在一起取暖。他们不见得彼此认识，很多人就坐在那儿，静默好几个钟头，但是他总算是坐在人群中，看出去满满是人，而且都是和自己一样白发苍苍、步态蹒跚的人。在这里，他可以孤单却不孤独，他既是独处，又是热闹；热闹中独处，仿佛行走深渊之上却有了栏杆扶手。

最后一站，是菜市场。先到最里边的裁缝那里，请她修短牛仔裤的裤脚。二十分钟后去取。然后到了肉铺，身上的围裙沾满血汁肉屑的老板看见你便笑了一下，你是他练习国语的对象。第一次来，你说，要"蹄髈"，他看你一眼，说："台湾来的？"

"怎么知道？"

他有点得意："大陆来的，说肘子。广东人说猪手。只有台湾人说蹄髈。"

嗄？真有观察力，你想，然后问他："怎么说猪手？你们认为那是它的'手'啊？你们认为猪和人一样有两只手，两只脚，而不是四只脚啊？"

他挑了一只"猪手"，然后用一管蓝火，快速喷烧掉猪皮上的毛，发出嗞嗞的声音，微微的焦味。

花铺的女老板不在，一个脑后梳着发髻的阿婆看着店。水桶边有一堆水仙球根，每一团球根都很大，包蓄着很多根。"一球二十五文。"阿婆说。我挑了四个，

「二十块」说「二十文」，总让你觉得好像活在清朝。但是还没完，他的下一句是：「你有碎银吗？」

阿婆却又要我放下，咕噜咕噜说了一大串，听不懂；对面卖活鸡的阿婆过来帮忙翻译，用听起来简直就是广东话的国语说："阿婆说，她不太有把握你这四个是不是最好的根，所以她想到对街去把老板找回来，要老板挑最好的给你。"

阿婆老态龙钟地走了，剩下我守着这花铺。对面鸡笼子里的鸡，不停扇动翅膀，时不时还"喔喔喔"啼叫，用最庄严、最专业的声音宣告晨光来临，像童话世界里的声音。但是一个客人指了它一下，阿婆提起它的脚，一刀下去，它就蔫了。

海 伦

海伦一个礼拜来帮我打扫一次。看见我成堆成堆的报纸杂志，拥挤不堪的书架，床头床边床底都是书，她认为我“很有学问。”当她看见有些书的封面或封底有我的照片，她更尊敬我了。

她一来就是五个钟头，因此有机会看见我煮稀饭——就是把一点点米放进锅里，加很多很多的水，在电炉上滚开了之后用慢火炖。

海伦边拖厨房的地边问：“你们台湾人是这样煮粥的吗？”

“我不知道台湾的别人怎么煮粥的，”我很心虚：“我是这么煮的。”

我想了一下，问她：“你们广东人煮粥不这么煮？”

下一周，海伦就表演给我看她怎么煮粥。米加了一点点水，然后加点盐和油，浸泡一下。她还带来了鸭胗和干贝。熬出来的粥，啊，还真不一样，美味极了。当我赞不绝口时，海伦笑说：“你没学过啊？”

我是没学过。

过了两个礼拜，我决心自己试煮“海伦粥”。照着记忆中她的做法，先把米泡在盐油里。冰箱里还有鸭胗和干贝，取出一摸，那鸭胗硬得像块塑料鞋底。打电话找到海伦——那一头轰隆轰隆的，海伦正在地铁里。我用吼的音量问她：“鸭胗和干贝要先泡吗？”

她把整盆水仙带到厨房，拿起小刀，开始一层一层剥除球根外面那难看的外皮。我放下电脑，站到她旁边看。她说：「你……没学过？」

“要啊。热水泡五分钟。”她吼回来。

“泡完要切吗？”

“要切。”

“什么时候放进粥里？”

“滚了就可以放。”

“谢谢。”

鸭肫即使泡过了，还是硬得很难切。正在使力气，电话响了，海伦在那头喊：“要先把水煮滚，然后才把米放进去。”

她显然也知道，太晚了，我的米早在锅里了。

海伦清扫的时候，总是看见我坐在电脑前专注地工作，桌上摊开来一摞又一摞的纸张书本。当我停下工作，到厨房里去做吃的，她就留了眼角余光瞄着我。我正要把一袋生米倒到垃圾桶里，被她截住。

“放太久，里头有小虫了。”我指给她看。看不见，于是我舀出一碗米，放进水里，褐色的小虫就浮到水面上来，历历在目。

“这种虫，”海伦把米接过去，“没关系的，洗一洗，虫全部就浮上来，倒掉它，米还是好的。我们从小就是这么教的。”

我站在一旁看她淘米。她边做边问：“你——没学过啊？”

我大概像个小学生似的站在那里回答：“没……没学过。”

米洗好了，她又回头去摘下一颗特别肥大的蒜头，塞进米袋里。微笑着。

“这样，虫就不来了。”

“好聪明。”

“你……没学过？”

嗯，没有，没学过。

从香港仔买回来的水仙球根，像个拳头那么大，外面包着一层又一层难看的黑褐色外皮，但是里头露出婴儿小腿一样的晶白肉色，姿态动人。我把球根放进蓄满了清水的白瓷盆里，自己觉得得意。

海伦来了。她先劈里啪啦横冲直撞地打扫，我的眼睛不离开电脑，但是人站起来以便她的吸尘器管子可以伸到桌下。一阵齐天大圣式的翻天覆地之后，安静下来，她看到那盆水仙，轻轻说，“你们不把水仙外面那层拿掉？”

她把整盆水仙带到厨房，拿起小刀，开始一层一层剥除球根外面那难看的外皮。我放下电脑，站到她旁边看。她说：“你……没学过？”

事实上的情况发展是，只要海伦在，我连煎个荷包蛋都有点心虚了。

火 警

在这一栋二十二层高的大楼住了三年，没有认识大楼里一个人。一层两户，共四十四户人家。如果把每一户人家放进一个独门独户篱笆围绕的屋子里去，四十四户是个颇具规模的村子了。人们每天进出村庄，路过彼此的桑麻柴门一定少不了驻足的寒暄和关切。把四十四户人家像四十四个货柜箱一样一层一层堆叠成大楼，每一个货柜门都是关闭的，就形成一种老死不相往来的现代。作息时间不同，连在电梯里遇见的机会都不很大。我始终有“云深不知处”的感觉。

我的对门，一开门就会看见。可是三年了，不曾在门前撞见过人。我只认得他的门，门前一尊秦俑，庄严地立在一张刷鞋的地毯上，守着一个放雨伞的大陶罐。椰汁炖肉的香气从厨房那扇门弥漫出来，在楼梯间回荡，像一种秘密的泄漏，泄漏这儿其实有生活。听说，对门住的是个美国来的哲学教授。

我的楼上，想必住着一个胖子，因为他的脚步很重，从屋子这一头走到那一头，我感觉到他的体重。胖子显然养了一条狗，狗在运动，从房间这一头跑到那一头，带爪的蹄子“刷刷”抓着地板的声音像传真一样清晰；蹄声轻俏，想必是体型较小的狗——“可是，”安德烈说：“会不会是一只体型较大的老鼠呢？”

胖子还养了一个孩子，孩子在屋里拍球，球碰地的声音，有一下没一下的，一会儿它嘭嘭嘭滚往角落，小脚扑扑扑追过去。有一天，声音全换了，我知道，原来的人家搬走了，新居民进来了。啊，我连搬家卡车都没见到，也没听见大军撤离的声音。

唯一常见的，是一位老太太。老太太身材修长，总是穿着合身的丝质连衣裙，有点年轻女孩的感觉。我发现她不会讲广东话，开口竟然是我所熟悉的闽南语。于是进出大门时，我们会以闽南语招呼彼此。八十八岁的她，孤单地在庭前散步，脚步怯怯地，好像怕惊扰了别人。她从这一头的相思树走到那一头的柚子树，然后折回来，走到相思树，又回头走往柚子树。上午九点我匆匆出门，看见她在相思树下，黄昏时从大学回来，看见她在柚子树下。她的眼睛，有点忧郁，有点寂寞，可是带着淡淡的矜持；黄昏迟迟的阳光照着她灰白的头发。

庭院里，每周四会停着一辆卡车，一停就是整个下午。车后的门打开，一节小小的梯子让你爬进车肚，车肚里头是个小杂货蔬果店，皮蛋、洋葱、香蕉、蔬菜、泡面……老头穿着短裤汗衫，坐在一张矮凳上看报。蔬菜的种类还不少，鸡蛋也是新鲜的。他本来是薄扶林种地的，卡车里卖的还是他自己的地上长出来的蔬菜。

有一天，火警铃声大作。是测试吧？我们继续读书，可是铃声坚持不停，震耳欲聋。安德烈从书房出来，我们交换了一个眼神，决定按规定逃生。放下手中书本，抓起手机，我们沿着楼梯往下走。楼梯间脚步声杂沓，到了庭院里，已经有十来个人聚集，往上张望，想看出哪儿冒黑烟。消防车在五分钟内已经到达，消防人员全副武装进入大楼。

第一次，我看见这栋大楼的居民，果然华洋杂处。大家开始七嘴八舌彼此比较：火警时，你带了什么东西夺门而出？有人把正在看的报纸拿在手上，有人抓了钱包，有人说："下次一定要把手提电脑抱着走，里面多少东西啊。"另一个就说："可是，如果不是真的火灾，你抱着电脑下来，多好笑啊。"一个金头发的女人，扬扬手里的塑料袋，说："这个袋子，我永远放在门边，里头有护照、出生证明、结婚证书、博士证书，还有一百美金。"众人正为她的智慧惊叹不已，消防人员走了出来，说："没事没事，误触警铃啦。"

如果把每一户人家放进一个独门独户篱笆围绕的屋子里去，四十四户是个颇具规模的村子了。人们每天进出村庄，路过彼此的桑麻柴门一定少不了驻足的寒暄和关切。

薄扶林

是一株龙眼树。树皮粗犷，纹路深凿，树身暴筋虬结，显然是株百年老树。树干上缠着很多个东歪西倒的信箱，用生了锈的铁丝或一截电线草草绑着，涂了手写的号码“47 陈”、“58 朱”……

紧紧贴着老树的，竟然是一座铁皮屋，范围很小，却是两层楼，所以基本上是个方形大铁桶，可是主人一丝不苟地把它漆成蓝色，看起来就像个艺术家绞尽心力的前卫作品：一座蓝色的铁屋密实依靠一株泼墨色的龙眼树，几乎长成一体。

里头住人吗？

我敲门，一阵窸窸窣窣，最里面一层木门打开了，她就隔着纱窗门，小心地探头看。纱窗破了一个洞，刚好衬出她额头上的白发和皱纹。

看见我，她张开嘴笑了。问她几岁，她摇头，“太老了，不记得了。”问她“这铁皮屋哪时建的”，她笑得一派天真，“太老了，不记得了。”我退后一步，看见门上涂着“1954”——“是这年建的吗？”她笑，“太老了，不记得了。”

帮她拍了好几张照片：临去时，她说，她也想要一张，我说，一定给你送来。

坡势陡峭，铁皮屋和水泥矮房参差层叠。百日红开在墙角，花猫躺在石阶上，废弃的园子里牵牛花怒放，粉蝶就闹了开来。太阳对准仅容一人行走的窄巷射出一道曲折的光线，割开斑驳的屋影。

山村简陋，可是沟渠干净。小径无路，可是石阶齐整。屋宇狭隘，然而颜色缤纷。漆成水蓝、粉红、鹅黄、雪白的小屋，错落有致。放学时刻，孩童的嬉戏声、跳跃声在巷弄间响起。成人在小店门口大口喝茶、大声“倾盖”。杂货店的老板在和老顾客说笑。十几个男人在“居民业余游乐社”里打牌，一个人兴冲冲地从屋里拿出一张黑白照片摊开在桌上，说：“你看，这是一九四六年的薄扶林村。”

一九四六年吗？但是我来看薄扶林村，是为了一个更早的日期喔。

网上流传一个无法证实的野史，说，薄扶林村的村史要从康熙年间的“三藩之乱”说起，两千多人逃避战乱而来到这里，成为香港岛上的“原住民”。“三藩之乱”，从一六七三年开始动荡了八年，但是，在这个八年之前连续二十几年，满清雷霆扫荡晚明势力，广东没有平静过。一六五零年，广东南雄在城破之后已经“家家燕子巢空林，伏尸如山莽充斥”，广州更是万劫不复。被清军围城将近十个月之后，尚可喜的军队破城而入，开始了“广州大屠杀”。有一种估计是，在十二天之内，七十万广州市民被杀。

这种数字，我必须转化成现代比拟才能感受到它的真实性：一九九四年的非洲卢旺达种族大屠杀，在三个月内八十万人被害。

荷兰使臣约翰·纽霍夫描述他所看见的广州：“鞑靼全军入城之后，全城顿时是一片凄惨景象，每个士兵开始破坏，抢走一切可以到手的东西；妇女、儿童和老人哭声震天。从十一月二十六日到十二月十五日，各处街道所听到的，全是拷打、杀戮反叛蛮子的声音；全城到处是哀号、屠杀、劫掠；凡有足够财力者，都不惜代价以赎命，然后逃脱这些惨无人道的屠夫之手。”

三百五十年前来到薄扶林山村的两千人，是不是就是那“不惜代价以赎命，然后逃脱”的南粤人？他们从南雄和广州扶老携幼，跋山涉水，寻找一个距离屠杀现场最远、距离恐怖政权最远的孤岛，在孤岛的树林和海面上，瞥见很多凫鸟栖息，因此称这山坳处为“薄凫林”，并且决定从此以后，这里就是以后一代一

他们从广州扶老携幼，跋山涉水，寻找一个距离屠杀现场最远的地方，并且决定从此以后，这里就是以后一代一代孩子们的故乡。

代孩子们的故乡？

我没想到，薄扶林村，在什么都以“拆”为目标的香港，三百五十年后，竟然还好端端地立在这山坳处，花猫伸个懒腰，百日红摇着微风，忘了年龄的老妈妈笑着跟我挥手道别；山村里，听得见孩子们跑步回家的啪啪足音。

黑帮

今年三月，很多人报案，金山郊野公园的猴子状态惨烈：眼睛被撕裂了，皮毛血迹斑斑，还有手脚断裂的，耳朵被拔下来的。渔护署的专家赶去犯罪现场搜证，结论是，这不是人为残虐，而是金山的猴儿们为了争夺势力范围，帮派火并的结果。九龙山一带有九个猴帮，每一个帮由八个到两百个“兄弟”喽啰组成，行为举止，大概和《庄子》所描述的“盗跖”帮派差不多：

> 盗跖从卒九千人，横行天下，侵暴诸侯。穴室抠户，驱人牛马，取人妇女。贪得忘亲，不顾父母兄弟，不祭先祖。所过之邑，大国守城，小国入保，万民苦之。

九龙山最大的猴帮还有个名字，叫“阿跛”，家大业大，有从卒两百，横霸九龙，呼啸山林。派系争夺领地和美妇，动辄格斗，血流百步。它们帮规严密，行动一致，对帮内叛徒的惩罚，绝不手软。

去金山公园散步，才到山寨门口，就看见一个翘耳朵的火眼金睛守着“不得擅进”的牌子，大咧咧坐在那儿瞪着。一进去，感觉就像闯入了一个不对外开放的部落内部，看见部落村民的作息，也被村民用好奇的眼光回看个够。当我们在凉亭下围成一圈坐下来谈话时，我们身后也围了一圈猴子父老，蹲坐下来，搔脑抓耳地看着我们开会。我们走动时，一群猴童跟着忽前忽后、爬上爬下。偶尔有一只孤单的猴，带点距离观察我们，看起来落落寡欢，额头还有块打架的伤口；渔护署的朋友说，“大概是决斗失败，被开除的家伙。”

小径的两旁，叶浓树密，藤蔓纠缠，俨如丛林。一抬眼，赫然发现，原来一棵树就是一个村，满树是猴，每个枝杈里都坐着一只母猴，怀里一个婴儿，眼睛之大，占满了整个头。稍大一点的幼猴，就在荡秋千，从一根藤“呼”一下荡到另一根。部落长老们，身材硕长，神情严肃，坐在树根上，盯着你看，一派深藏不露，就差手里拿根烟管，否则真让你以为是村里的爷爷们坐在老庙前的大榕树下。

它们之间也有族群差异。短尾巴、肥身材的，是恒河猕猴。一九〇一年开始建九龙水库时，工程人员引进了恒河猴，因为它们爱吃马钱。马钱，是一种“断肠草”，果子有毒，掉进水库里有害。身材瘦长的是长尾猕猴，五十年代被饲养者放生而在野外繁殖。两者的混血儿，就可爱了，尾巴不长不短，耳朵不大不小，绒毛松软丰沛，憨态可掬。

香港的人口愈生愈少，一个妇女平均生零点九五个孩子。香港的猴口愈生愈多，每年几乎增长百分之十，现在已有超过两千只。眼看这山地族群的扩张，聪明的香港人也针对它们发展出特殊的“节育计划”：他们捕捉公猴，加以结扎注射，母猴，也可以经过“调理”使它的生育期延后五年。

猴村的村民愈来愈多，逐渐闯进人的小区。我读到中文大学正经八百的告示，不禁笑出声来：

> 校园发现猴子，保安组经常接获关于校园内有野猴出没的投诉。
>
> 很多人都不察觉，《野生动物保护条例》明文禁止任何人士骚扰野生动物生活，违者可被罚款一万元。

九龙山最大的猴帮还有个名字，叫「阿跛」，家大业大，有从卒两百，横霸九龙，呼啸山林。派系争夺领地和美妇，动辄格斗，血流百步。

根据渔农及自然护理署的意见，猴子在“心平气和”及“无食物喂饲”之时，不会骚扰人类；虽然，猴子仍会对人类有敏感反应，如果我们：

(a) 趋近它们、特别是幼猴，表现被误解为不怀好意；

(b) 制造响声或举止突兀；或

(c) 向其瞪视。

如果没有上述的任何举止，猴子对人无害，也绝对有权在这里生存。

以下是渔农及自然护理署的告谕：

(d) 只当猴子在住宅区域受困及/或受伤时；或

(e) 事件引致财物或人身安全受损，该署才会介入。

该署不会单纯因为猴子的存在而徇应要求动员驱赶，此乃普通常识；虽则如此，保安组接报谓发现猴子时，仍会派员到场应变。

金 黄

现实世界看起来一方面很惊天动地：远方有战争和革命，近处有饥荒和地震，在自己居住的城市，有传染病的流行和示威游行，有政治的勾当和宿敌的暗算，另一方面，却又如此的平凡：人们在马路上流着汗追赶公交车，在办公室里不停地打电话，在餐厅里热切交际，在拥挤的超市里寻寻觅觅，在电脑前盯着屏幕到深夜；人，像蚂蚁一样忙碌。

忙碌到一个程度，他完全看不见与他同时生存在同一个城市里的族群。不，我不是在说那些来自印度尼西亚、菲律宾的保姆、看护和管家。她们隐身在建筑内，只有在星期日突然出现在公共空间里。

我也不是在说那些尼泊尔人、巴基斯坦人、非洲人，他们隐身在香港看不见的角落里。我也不是在说从部落来到大城市打工的原住民，隐身在某几个区的某几条街，台北人看不见的地方。也不是在说新疆人，隐身在广州那样的老城区拐弯抹角的昏暗巷弄里，伺机而出。

这些都是大城市里不出声的少数族群，而我说的这个族群，更是无声无息，城里的人们对他们完全地视若无睹，但他们的数目其实非常庞大，而且不藏身室内，他们在户外，无所不在：马路边，公园里，斜坡上，大海边，山沟旁，公墓中，校园里。但他们又不是四处流窜的民工“盲流”，因为他们通常留在定点。

他们是一个城市里最原始的原住民。

如果说，在政治和社会新闻里每天都有事件发生，那么在这个“原住民”族群的世界里，更是每时每刻事件都在发生中。假使以他们为新闻主体，二十四小时的跑马灯滚动播报是播报不完的。

如果从三月开始播报，那么洋紫荆的光荣谢幕可以是第一则新闻。洋紫荆们被选为香港美色的代表，比宫粉羊蹄甲、白花黄花红花羊蹄甲都来得浓艳娇娆。洋紫荆从十一月秋风初起的时候摇曳生花，一直招展到杜鹃三月，才逐渐卸妆离去，但还没完全撤走，宫粉羊蹄甲们就悄悄上场。一夜之间占满枝头，满树粉嫩缤纷，云烟簇拥，远看之下，人们会忘情地呼出错误的名字：“啊，香港也有樱花！”

这时候，高挺粗壮的木棉还不动声色。立在川流不息的车马旁，无花无叶的苍老枯枝就那么凝重地俯视。在路边等车的人，公交车一再满载，等得不耐烦的时候，四下张望发现了几个事件：

一株桑树已经全身换了新叶，柔软的桑叶舒卷，却没有蚕。

桑树傍着一株鸭脚木，鸭脚形状辐射张开的叶群已经比去年足足大了一圈。

橡皮树又厚又油亮的叶子里吐出了红色长条的卷心舌头，枝枝朝天，极尽耸动。

而血桐，大张叶子看起来仍旧是邋遢的、垮垮的，非常没有气质，这时拱出了一串一串的碎花，好像在献宝。

早上出门时，一出门就觉蹊跷：一股不寻常的气味，缭绕在早晨的空气里。气味来自哪里？你开始调查跟踪。杜鹃，在一阵春雨之后，没有先行告知就像火药一样炸开，一簇一簇绯红粉白淡紫，但你知道杜鹃没有气味。一株南洋杉，阴沉沉地绿着，绝不是它。低头检查一下可疑的灌木丛：香港算盘子、青果榕、盐肤木、假苹婆；再视察灌木丛下的草本：山芝麻、车前草、咸丰草、珍珠草，都不可能。但是那香气，因风而来，香得那样令人心慌意乱，你一定要找到肇事者。

藏在南洋杉的后面，竟是一株柚子树。不经许可就喷出满树白花，对着方圆

洋紫荆从十一月秋风初起的时候摇曳生花，一直招展到杜鹃三月，才逐渐卸妆离去。

十里之内的小区，未经邻里协商，径自施放香气。

一星期之后，香气却又无端被收回。若有所失，到街上行走，又出事了。一朵硕大的木棉花，直直坠下，打在头上。抬头一看，鲜红的木棉花，一朵一朵像歌剧里的蝴蝶夫人，盛装坐在苍老的枝头，矜持，艳美，一言不发。

到了“五一劳动节”，你终于明白了新闻里老被提到的“黄金周”真正的意思。在这一个礼拜，香港满山遍野的“台湾相思”，同时喷出千万球绒毛碎花，一片灿灿金黄。

杜甫

草木的汉文名字，美得神奇。

一个数字，一个单位，一个名词，组合起来就唤出一个繁星满天的大千世界：一串红，二悬铃木，三年桐，四照花，五针松，六月雪，七里香，八角茴香，九重葛，十大功劳。

不够吗？还有：百日红，千金藤，万年青。

最先为植物想名字的人，总是在植物身上联想动物：

马缨丹，鼠尾草，鹅掌花，牛枇杷，金毛狗，豹皮樟，鱼鳞松，猪笼草，鸡冠花，凤凰木，蝴蝶兰，鹰不扑，猴欢喜。

不够吗？还有：五爪金龙，入地金牛，扑地蜈蚣，羊不吃草。

在一个海风懒洋洋的下午，拿出一沓“人造斜坡上或旁边记录之植物”表；一个一个野草杂木的名字，随兴搅一搅，就得到行云流水般的《花间词》：

> 白花地胆草，东方槲寄生，刺桐，水茄，七姐果；
> 密毛小毛蕨，小叶红叶藤，山橙，岗松，痴头婆。

或者，读过这样的七绝“唐诗”吗？

蒲桃，绿萝，山牡丹；麦冬，血桐，细叶榕；
野漆，月橘，飞扬草；黄独，海芋，鬼灯笼。

有时候，一个词偶然地映进眼睛，我不得不停下来思索。

“黄独”？明明在哪里见过，在哪里？这又是个什么植物？

于是钻到旧籍里寻寻觅觅——找到了。

公元七百五十九年的冬天，连年战乱后又闹饥荒，已经“饥走荒山道”三年之久的杜甫，近五十岁了，带了一家老小，跋涉到了甘肃一个叫“同谷”的地方，住了下来。天寒地冻，家人连食物都没有了。杜甫的诗歌，像一部“饥荒手记”，摄下自己的存活状态：

有客有客字子美，白头乱发垂过耳；岁拾橡栗随狙公，天寒日暮山谷里。中原无书归不得，手脚冻皴皮肉死。呜呼一歌兮歌已哀，悲风为我从天来。

长镵长镵白木柄，我生托子以为命。黄独无苗山雪盛，短衣数挽不掩胫。此时与子空归来，男呻女吟四壁静。呜呼二歌兮歌始放，闾里为我色惆怅。

“天寒日暮”里，手脚冻僵的杜甫寻找的是“橡栗”，一种不好吃的苦栗子，也是《庄子·齐物论》里头描述的“狙公”给猴子选择要“朝三”颗还是“暮四”颗的栗子。《盗跖》里的橡栗，还是早期人类的主食：“古者禽兽多而人少，于是民皆巢居以避之，昼食橡栗，暮栖木上，故名之曰有巢氏。”

穷苦的农民捡拾橡栗的辛酸形象，常常出现在知识分子的描绘里。唐代张籍就写过《野老歌》：

公元七百五十九年的冬天，连年战乱后又闹饥荒，已经「饥走荒山道」三年之久的杜甫，近五十岁了，带了一家老小，跋涉到了甘肃一个叫「同谷」的地方，住了下来。天寒地冻，家人连食物都没有了。杜甫的诗歌，像一部「饥荒手记」。

老翁家贫在山住，耕种山田三四亩。苗疏税多不得食，输入官仓化为土。岁暮锄犁傍空室，呼儿登山收橡食……

知识分子对农民的劳苦和饥饿表达怜悯之情，但是在杜甫的诗里，荒野中四顾茫然的知识分子却是农民悲悯的对象。一头乱发的杜甫，孤独地来到山谷里，扛着一把锄头，想要在白雪覆盖的地面下，挖出“黄独”来喂饱家人。可是“黄独”是什么呢？

《中国有毒植物》是这样介绍的：

黄独，又称黄药子，俗称本首乌，有毒，误食或食用过量，会引起口、舌、喉等处烧灼痛，流涎、恶心、呕吐、腹泻、腹痛、瞳孔缩小，严重者出现昏迷、呼吸困难和心脏麻痹而死亡；也有报导可引起中毒性肝炎。小鼠腹腔注射 25.5g/kg 块根的水提取液，出现四肢伸展，腹部贴地，六小时内全部死亡。

图片里的黄独，像一个黑黑黄黄的癞痢肿瘤，很难看。杜甫不可能用这样的东西喂孩子吧？

然后找到《本草》里的记录：“黄独，肉白皮黄，巴、汉人蒸食之，江东谓之土芋。”杜甫弯腰在雪地里挖掘寻找的黄独，显然是山药的一种。

斜坡上的杂花野草，谁说不是一草一千秋，一花一世界呢。

舞池

二月二十八日的消息：

半岛酒店八十周年了！由下月至本年底，半岛酒店将举办每月一次的周日茶舞，把大堂化作舞池，搭建舞台，让歌手乐队演绎怀旧金曲。为了更加"连戏"，员工换上功夫鞋，桌上改用半岛酒店的旧瓷器，配合旧式香槟杯和加料炮制的特色茶点。

半岛酒店八十周年纪念，在大堂举行周日茶舞，让客人大跳社交舞。当歌乐齐鸣，众人起舞的时候，大堂气氛犹如时光倒流。历史上，半岛酒店曾不定期举办茶舞，这回，酒店在布置、饮食及员工服装都尽量营造怀旧气氛。门童服饰暗地回复旧日剪裁，裤子阔了、帽子大了，看似钝钝的，其实是刻意；在大堂搭建可供乐手及歌手表演的舞台；侍应穿上中式功夫鞋，大玩怀旧打扮。下午茶有十多款小吃，由最高贵的顶级烟三文鱼多士到最富地道色彩的蛋挞鸡尾包都有，还有不少人死心塌地钟情专一的至爱半岛原味松饼。

我说，这好玩啊，去看看。丽丽说："这有什么好看，你要听菲律宾歌手唱《夜上海》吗？鸡皮疙瘩都会起来，我带你去我的茶舞厅。"

走出舞厅，外面一片华灯初上，夜晚，笼罩了这个繁丽的城市。丽丽还把舞鞋提在手里，转身问我：「好不好玩？」

我不客气地看着丽丽——她曾经是个美人，否则不可能在六十年代演过初恋的纯情玉女，但是现在五十五岁的她，身材厚重如桥墩，手臂粗得像人家的腿，而且举手时，两腋下的肉软软地垂下来，还会波动。她的眼睛还算明亮，看你时依稀带着少女的娇嗔，只是眼下的眼袋浮肿，两颊透出一层淡淡的青黑，老人斑已经呼之欲出了。然而丽丽最可爱的地方，是她的不在乎。她大咧咧地吃，热热闹闹地玩，疯疯癫癫地闹，一切放纵自然，她已经不在乎人们认不认为她美或不美。

"你跳舞？"我惊讶地问，"你跳舞？"

"不要这样好不好？"她凶了我一眼，把最后一点奶油松饼用手指拈起来，仰着头吃进去。"我有个瑞典老师，很棒的。才二十三岁，任何拉丁招式都会。"

跟想象的茶舞厅差不多，柔暗的灯光，红玫瑰色的窗帘，穿着黑西装露出雪白衬衫领的侍者，舞池里身影回旋流转，与节奏澎湃鼓动的音乐密密交织。

舞池里的女人，几乎个个体态婀娜，小短裙贴着小蛮腰，一转身裙摆飞起犹如莲花开绽。修长的腿裹在薄薄的黑丝袜里，透出隐隐的肉色。但是当眼睛习惯了黑暗之后，就看见了，这些婀娜的女人也都不年轻，大概都是五十多岁的人了。她们都是跟"老师"在跳，"老师"们，竟然大多是金发碧眼的年轻男子。他们也有着细柔的腰，修长的腿，踩着音乐的步子，时靠近，时退后，腰和臀，带着他们的身体走。有时候，那音乐浓郁而缠绵，男人和女人的身体像池塘里的两道水纹，一个回旋，一个荡漾，每一条缝，都在寻找密合。

丽丽弯腰换上了舞鞋，和约翰滑进了舞池。瑞典来的约翰长得就像泰坦尼克号那个奶油小生，只是他的腰，更细。

都是拉丁舞。拉丁民族是性爱的艺术家吧？他们的音乐，每一个音符都充满了性的渴望，他们的舞，每一个动作都暗藏着性的挑逗。所谓拉丁舞，简直就是性爱的"舞化"，把意念的暧昧和欲念的呻吟用身体"讲"出来，有如贴身亵衣的外穿。

可是舞池里的女人和她们的老师男人们，只是"尽责"地跳着，每一个舞步都正确，每一个转身都漂亮，可是舞的核心感觉——暧昧和欲念，浓郁和缠绵，一点都没有。

再点一杯咖啡；我知道为什么。这些美丽的女人，回家后都要面对一个支持着她挥霍自由的丈夫。这些美丽的男人，回家后都要面对自己的生计和生涯规划。这里的舞，是女人的上课，男人的上班。在这个舞池里，如果有欲念，那就是必须用最大的小心来控制的东西。

走出舞厅，外面一片华灯初上，夜晚，笼罩了这个繁丽的城市。丽丽还把舞鞋提在手里，转身问我："好不好玩？"

我摇摇头。人声嘈杂，我怎么跟她解释，这场茶舞让我感觉到的，竟是"无边落木萧萧下"？

手镯

这条街把我迷倒了。

一个一个小店，里头全部是花边。世界上，什么东西用得到花边呢？小女孩的蓬蓬裙，老婆婆的裤脚，年轻女郎贴身的蕾丝胸罩，新娘的面纱，晚餐的桌巾，精致的手绢，让窗子变得美丽的窗帘，做梦的枕头套和床罩，教堂里烛台下的绣垫，演出结束时徐徐降下的舞台的幕，掌声响起前垂在鲜花下的流苏……各种大小剪裁，各种花式颜色的花边，挂满整个小店。店主正忙着剪一块布，头也不抬。他的店，好像在出售梦，美得惊心动魄。

然后是纽扣店。一个一个小店，里头全部是纽扣。从绿豆一样小的，到婴儿手掌一样大的；包了布的，那布的质地和花色千姿百态，不包布的，或凹凸有致，或形色多变。几百个、几千个、几万个、几十万个大大小小、花花绿绿的纽扣在小店里展出，每一个纽扣都在隐约暗示某一种意义的大开大合，一种迎接和排拒，仿佛一个策展人在做一个极大胆的、极挑衅的宣言。

然后是腰带店。一个一个小店，里头全部是腰带，皮的，布的，塑料的，金属的，长的，短的，宽的，窄的，柔软的，坚硬的，镂空的，适合埃及艳后的，适合小流氓的，像蟒蛇的身躯，像豹的背脊……

花边店、纽扣店、腰带店、毛线店、领店、袖店，到最后汇集到十三行路，

巷子很深，转角处，一个老人坐在矮凳上，戴着老花眼镜，低头修一只断了跟的高跟鞋；地上一个收音机，正放着哀怨缠绵的粤曲。一只猫，卧着听。

变成一整条街的成衣店。在这里，领、袖、毛线、花边、腰带，变魔术一样全部组合到位，纽扣扣上，一件一件衣服亮出来。零售商人来这里买衣服，一袋一袋塞得鼓胀的衣服装上车子，无数个轮子摩擦街面，发出轰轰的巨响，混着人声鼎沸，脚步杂沓。广州，老城虽然沧桑，仍有那万商云集的生动。

就在巷子里，我看见他。

一圈一圈的人，坐在凳子上，围着一张一张桌子，低头工作。一条巷子，变成工厂的手工区。他把一条手镯放在桌上，那种镀银的尼泊尔风格的手镯，雕着花，花瓣镂空。桌子中心有一堆金光闪闪的假钻，一粒大概只有一颗米的一半大。他左手按着手镯，右手拿着一支笔，笔尖是黏胶。他用笔尖粘起一粒假钻，将它填进手镯镂空的洞里。手镯的每一朵雕花有五个花瓣，他就填进五粒假钻。洞很小，假钻也很小，眼睛得看得仔细。凳子没有靠背，他的看起来很瘦弱的背，就一直向前驼着。

男孩今年十六岁，头发卷卷的，眼睛大大的。问他从哪里来，他羞涩地微笑，“自贡”。和父母来广州三个月了。

“他们都以为来广州赚钱容易，”坐在男孩隔壁的女人边工作边说：“其实很难啊。才十六岁，应该继续读书啊。”

女人责备的语音里，带着怜惜。

“做这个，工钱怎么算？”

两个人都半晌不说话。过了一会儿，男孩说：“五粒一分钱。”他的头一直低着，眼睛盯着工，手不停。

“那你一天能挣多少？”

“二三十块，如果我连续做十几个小时。”

五粒一分钱，五十粒一毛钱，五百粒一块钱，五千粒十块钱，一万粒二十块。一万五千粒三十块。

那手镯，在香港庙街和台北士林夜市的地摊，甚至在法兰克福的跳蚤市场，都买得到。我从来没想过，手镯，是从这样的巷子里出来的。

很想摸摸孩子的头发，很想。但是我说："谢谢"，就走了。

巷子很深，转角处，一个老人坐在矮凳上，戴着老花眼镜，低头修一只断了跟的高跟鞋；地上一个收音机，正放着哀怨缠绵的粤曲。一只猫，卧着听。

江湖台北

正值多事之秋，事态诡谲多变。王位继承一旦付诸公开竞逐，各藩蜂起，合纵连横，步步为营。人前打躬作揖，做尽谦逊礼让之态。背后则中伤设陷、落井下石、伤口涂盐之事，无所不尽其极。城中读书人，多属南人，性格率真，情感澎湃，外人对其评论：温情有余，理智不足，易激越，易躁动。

此城原来不乏雄才大略之士，再加爱国爱乡之情深重恳切，对国之将倾焦虑溢于言表，起而行动者亦大有人在。然而近数年来，各巨室朋党之间交相争利，坐地分赃，藉公营私之余，党同伐异，士林风气丕变。诺诺者犹诺诺，敢言者已气蔫。因气蔫而退隐林间、而浪荡江湖、而寄情佛典禅寺者，不在少数，深隐于喧闹市井中沉潜不语者，更为众多。

某日午后，数批志士来访。前一批属少年英杰，曾经入幕府为谋士，满腔报国热情，未料主事者得权后面目狰狞，丑行乖张，百般进言不得一聆听，于是断然求去。少年英杰眉宇清隽，思路快捷，论政如比剑，彼之所长、己之所短了然于胸，然知其不可而为之，义无反顾，颇为壮烈。后一批属沙场老将，曾经驰骋千里、鹰飞草长，也曾为朝廷命官，运筹帷幄。出生入死，总为苍生。退隐多时，如今见国事颓唐，人心萧索，终不忍坐视，起而奔走呼号。鬓角如霜，而呼号之意如杜鹃昏夜啼血。

众人正在议事，突然一声暴雷巨响，撼动屋梁，瞬间浓云密布，天地陡暗，急雨狂泻直下，雷声暴烈，轰隆震耳。众人惊愕，白发英雄笑曰，“平地惊雷，正为我辈所需也。”

暴雨稍歇后，华灯初绽，城内通衢大道车水马龙，市井深巷亦红尘斐灿。与友人杨某驱车赴老城陋巷，盖陋巷中有善烹生猛海鲜者，貌似屠狗之徒而运厨如菊花剑术之大师，所奉虾肥鱼嫩汤鲜，全城第一。

店内人声喧哗，觥筹交错。老城陋巷食客，饮酒一仰而尽，挟肉大块而啖，举止跌宕不羁，形色从容不迫。酒过二巡，邻座食客某，约五十许，突然前来敬酒，立而举杯曰:“天下大势，非合即分。合则一统，分则殊途。殊途若得我尊严，则当为殊途而自强不息也。知君与我同心同志，愿与君饮。”语毕，一仰而尽。

友人杨某善诗文，精佛理，洞天下事，俟其离去，低语曰 :“陋巷有高人，老城多志士。”

夜渐深沉，犹无倦意，遂再趋车往城南。城南多学院，多书坊，多清谈茶馆，多豪情酒肆，属文人学者穿梭流连、论文比剑之地。漫步入一幽静小巷，寻常巷陌，一灯如豆。随杨某排闼直入，窃以环视，乃一古董小铺，玻璃橱内，色泽深沉委婉之瓷碗陶盆、银饰宝石纷纷罗列，灯光昏黄，不知岁月。

茶香隐隐，主人端坐一石凳上，正夜读佛经。见客来，亦不起身，只是奉茶，曰 :“上品铁观音，且尝。”沉吟片刻，复低头自屉中取出一包木屑，置少许于案上香炉中，捻燃。一时蓝烟袅绕，盘旋而上，缕缕如丝，香气遂与光影糅合，沉沉笼罩古董。

主人垂眉焚香，曰 :“此乃越南古沉香。”

诗人杨某静坐明朝椅中，两眼微合，仿佛入定，手指仍细数念珠。

清晨一时，有人推门大步而入，忽立斗室之中。一男子，约六十许，着蓝彩丝衫，颇有风流倜傥之态，渠两眼圆睁，一脸愕然，惊问 :“何以此时此地与君邂逅？”

言及创作艰辛，艺人孤寂，刘某毫无自怜自艾之态，意兴洒脱。数度举杯，欲言又止，所犹豫牵挂者，竟仍是家国之思。

主人斟酒，促客入坐。始知来者为刘某，五十年前即作曲、写词、演唱，歌喉之深情豪迈风靡全城，妇孺传唱，老汉高歌，凡有水井处便有刘曲。一代传奇人物，于此凌晨时刻，饮茶傍沉香，煮酒细论文。言及创作艰辛，艺人孤寂，刘某毫无自怜自艾之态，意兴洒脱。数度举杯，欲言又止，所犹豫牵挂者，竟仍是家国之思："天下大势，非分即合。读君文章已久，观君作为已深——君何不为此民族大业戮力以赴？"

得赠一清朝锡碟，双鱼细雕，朴拙可爱。凌晨三时，赋归山居。四周悄然，唯虫声唧唧。卧读杜甫诗以入眠：

> ……檐影微微落，津流脉脉斜。野船明细火，宿雁聚圆沙。云掩初弦月，香传小树花……

四千三百年

太疼的伤口，你不敢去碰触；太深的忧伤，你不敢去安慰；太残酷的残酷，有时候，你不敢去注视。

厦门海外几公里处有一个岛，叫金门，朱熹曾经在那里讲学。在二十一世纪初，你若上网键入“金门”这两个字，立即浮现的大多是欢乐的讯息：“三日金门游”、“好金门三千九百九十九元，不包含兵险”、“战地风光余韵犹存”、“炮弹做成菜刀 / 非买不可的战区纪念品”……知名的国际艺术家来到碉堡里表演，政治人物发表演说要人们挥别过去的“悲情”，拥抱光明的未来……

我却有点不敢去，尽管金门的窄街深巷、老屋古树朴拙而幽静，有几分武陵人家桃花源的情致。

金门的美，怎么看都带着点无言的忧伤。一栋一栋颓倒的洋楼，屋顶垮了一半，残破的院落里柚子正满树摇香。如果你踩过破瓦进入客厅，就会看见断壁下压着水渍了的全家福照片，褪色了，苍白了，逝去了。一只野猫悄悄走过墙头，日影西斜。

你骑一辆自行车随便乱走，总是在树林边看见“小心地雷”的铁牌，上面画着一个黑骷髅头。若是走错了路，闯进了森林，你就会发现小路转弯处有个矮矮的碑，上面镶着照片，已看不清面目，但是一行字会告诉你，这几个二十岁不到的年轻人在那个钢铁一样的岁月里被炸身亡。是的，就在你此刻

车子骑到海滩，风轻轻地吹，像梦一样温柔，但是你看见，那是一片不能走上去的海滩。

站着的地点。他们的名字，没人记得。他们镶着照片的碑，连做那“好金门三千九百九十九元”的观光一景都不够格。

车子骑到海滩，风轻轻地吹，像梦一样温柔，但是你看见，那是一片不能走上去的海滩；反抢滩的尖锐木桩仍旧倒插在沙上，像狰狞的铁丝网一样罩着美丽的沙滩。于是你想起画家李锡奇，他的姐姐和奶奶如何被抓狂的士兵所射杀。他的画磅礴深沉，难道与疼无关？于是你想起民谣歌手“金门王”，十二岁时被路边突然爆开的炸弹炸瞎了他的眼睛、炸断了他的腿。他的歌苍凉无奈，难道与忧伤无关？

一九五八年的秋天，这个小小的美丽的岛在四十四天内承受了四十七万枚炸弹从天而降的轰炸，在四十年的战地封锁中又在地下埋藏了不知其数目的地雷。这里的孩子，没人敢到沙滩上嬉耍追逐，没人敢进森林里采野花野果，没人敢跳进海里玩水游泳。这里的大人，从没见过家乡的地图，从不敢问山头的那一边有多远，从不敢想象外面的世界有多大。这里的人，好多在上学的路上失去了一条手臂、一条腿。这里的人，好多过了海去买瓶酱油就隔了五十年才能回来，回来时，辫子姑娘已是白发干枯的老妇；找到老家，看见老家的顶都垮了，墙半倒，虽然柚子还开着香花。捡起一张残破的黑白照，她老泪纵横，什么都不认得了。

在阿富汗，在巴勒斯坦、安哥拉、苏丹、中亚、缅甸……在这些忧伤的大地里，还埋着成千上万的地雷。中国、美国、俄罗斯、印度……还生产着地雷，两亿多枚地雷等着客户下订单。埋下一个地雷，只要三至二十五美元，速度极快；要扫除一枚地雷，得花三百至一千美元，但是——地雷怎么扫除？一个扫雷员，冒着被炸得粉身碎骨的危险，趴在地上，手里拿着一根测雷的金属棒，往前面的地面伸去。一整天下来，他可以清二十到五十平方米的范围。意思是说，要扫除阿富汗五分之一国土的地雷，需要的时间是四千三百年。

金门有一株木棉树，浓密巨大，使你深信它和《山海经》一样老。花开时，火烧满天霞海，使你想顶礼膜拜。

有时候，时代太残酷了，你闭上眼，不忍注视。

阿拉伯芥

金门人淡淡地告诉你他是怎么长大的。岛上的孩子都没见过球，球是管制品，因为几个篮球绑在一起就可以漂浮投共。晚上每个房子都成了轰炸目标，所以每一扇窗户就得用厚毯子遮起来，在里头悄悄说话，偷偷掌灯，四十年如一日。男人会告诉你，吃了四十年的糙米之后，才知道糙米里加了黄曲素，压抑人的性冲动，避免军人出事。女人会告诉你，那一年孩子突然得重病，要用军机送到台湾治疗，不是军事任务还差点上不了飞机。

黄牛在麦田里吃草，夜鹭穿过木麻黄林，金门人在炮火隆隆的天空下，在布满地雷的土地上，谨慎地恋爱、结婚、养育儿女。现在，观光业者招徕游客：金门好玩啊，来看那“生活不怕苦，工作不怕难，战斗不怕死”的金门人。同时，台湾岛上新一代的勇敢的领袖们开始大声说话，你打我台北，我就打你上海；你丢一百个炸弹过来，我就丢一百个炸弹过去。语音未落，香港的报纸争相报导：台湾人资金大量移向香港，半山的房子很多都让台湾人买下了。

哪个正常的人愿意“生活不怕苦，工作不怕难，战斗不怕死”？哪个正常的人愿意放弃自己追求幸福的权利？哪个正常的孩子不打球？

可是世上六十亿人里，没有追求幸福的权利的，可能居大多数。如果你是个在板门店附近村子里上学的小孩，你会听老师说：来，做一个算术题。三十八度线的中立区那儿草木不生，每一平方米——大概一间小厕所的范围，就埋了二点五颗地雷。中立区长两百四十八公里，宽四公里，算算看总共有多少颗地雷？

如果你是个在中亚山区生长的孩子，你也无球可打。在塔吉克斯坦、土库曼斯坦、哈萨克、乌兹别克几个国家交界的两千五百平方公里荒凉而苍老的大地里，埋藏着三百万枚待爆的地雷。勇敢的领袖们决定不打仗了，于是地雷就去炸死那赤脚荷锄的农民，炸断放学回家的孩子的腿，炸瞎那背着婴儿到田里送饭的母亲。

为什么不扫雷呢？对不起，没钱。打仗的时候，领袖们以国家安全和民族主权的崇高理由把军购费膨胀到极致，仗打完了，尸体还可以收拾干净，但是中了毒的大地无法复原；扫雷需要千万上亿的美金，而婴儿，连奶粉都不够啊。

全球有两万六千人因为误触地雷而死亡，大地里还有一亿一千万枚地雷等着被“误触”。丹麦人于是“发明”了一种草，把常见的小草“阿拉伯芥”改动一下基因，这草就变成一种测雷器：阿拉伯芥的根，感觉到土里头地雷腐蚀后外泄出的二氧化氮，整株植物会从原来的绿色变成铁红色。阿拉伯芥的花粉经过处理之后，花粉也不会扩散繁殖。丹麦人打算在斯里兰卡、波斯尼亚这些饱受摧残的土地上实验种植。

种下两千五百平方公里面积的阿拉伯芥？然后看着美丽青翠的小草一块一块从绿转红？阿拉伯芥的命运，不也正是金门人、板门店人、阿富汗人的共同命运？我觉得发冷——人对自然、对生命过度地暴虐、亵渎之后，他究竟还有什么依靠呢？如果勇敢领袖们的心里深埋着仇恨和野心的地雷，敏感的阿拉伯芥又救得了几个我们疼爱的孩子呢？

普通人

没有想到我会亲眼目睹这一幕。

台湾南部乡下小镇，半夜十二点，十字路口，一家二十四小时豆浆店。这大概是台湾对中华文化最美好的贡献，三更半夜，你可以随时从幽黑寒冷的巷道走进这温暖明亮的地方，看着平底大锅上锅贴在嗞嗞煎烧，新鲜的豆浆气息在空气里弥漫，脆脆的油条、松松的烧饼、香得让人受不了的葱油饼，全在眼前。忙碌工作的几个年轻妇人用轻快的语音问客人要吃什么。整个小镇都沉在黑暗中，这简陋的小厅就像个光亮的橱窗，正在展出生活的温煦和甜美。

一个穿着拖鞋的客人大踏步进来，显然认出了正在低头喝豆浆的朋友，用力拍了他肩膀，说："怎样？我们来赌吧。赌你们赢我们六十万票？"

喝豆浆的那人抬起头，半认真半玩笑地说："哎呀，八年都给你们玩光了，还要怎么赌？"

穿拖鞋的愣了一秒钟，然后陡然变脸，冲口而出："你娘！外省的，你们滚回去！"

喝豆浆的跳了起来，看见那穿拖鞋的已经抓起凳子，高高举在头上，马上要砸下来的千钧态势。他也红了脸粗了脖子，怒声回说："谁滚回去？跟你一样缴税，你叫谁滚回去？"

穿拖鞋的高举凳子就要冲过来，旁观者死命拉住，他挥舞着凳子大吼："不是台湾人，给我回去！"

那"外省的"——这回我看见了，他也穿着拖鞋，边往外走边用当地的闽南语回头喊："好啊，台湾人万岁！台湾人万岁！"

我一直紧握母亲的手，附在她耳边说，"他们是好朋友，他们只是在闹着玩的。"母亲已经无法明白那两人在说什么，相信了我的解说，只是皱着眉头说："玩得这么大声，小孩子一样，不像话。"我把油条分成小块，放到热豆浆里浸泡，泡软了，再让她慢慢嚼。

回到家，反正睡不着，打开电脑看网上新闻。德国的《明镜》首页报导是这一则：

> 从医生到歌剧演员，从老师到逃学的学生，都曾经是"二战"时屠杀欧洲犹太人的帮手。约有二十万的普通人参与其中。一个进行多年的研究快要出炉，明确指出，现代社会的国民可以在一个邪恶的政权领导下做出可怕的事。
>
> 马特纳，一个维也纳来的小警察，一九四一年在白俄罗斯执行勤务，就参与了枪毙二千二百七十二名犹太人的任务。他当时给他的妻子写信："执行第一车的人时，我的手还发抖。到第十车，我就瞄得很准了，很镇定，把枪对准很多很多的女人和小孩，还有很多婴儿。我自己有两个小宝宝在家，可是我想，我的小宝宝要是掉到眼前这批人手里，可能会更惨。"
>
> "二战"后，主流意见认为，这些丧尽天良的事，都是一些特别病态的人，在少数大战犯的领导之下做出的。这样来理解，让人比较宽心，因为，一般善良普通人是不在其中的。
>
> 从一九九〇年代就开始进行的这个大型研究却有重大发现：具体证据显示，起码有二十万德国和奥地利的"普通人"是罪行的执行者，不同宗教、不同年龄、不同教育水平的人，都有。

豆浆店的人说，那两个差点打架的人，一个是在市场卖鲜鱼的，一个是中学老师，本来是不错的朋友。可能喝了点酒，也许过两天就和好了也说不定。

天色有一点点灰亮。大武山美丽的棱线若有若无，混在云里淡淡地浮现，滴溜溜的鸟声，流转进窗来。

豆浆店的人说，那两个差点打架的人，一个是在市场卖鲜鱼的，一个是中学老师，本来是不错的朋友。可能喝了点酒，也许过两天就和好了也说不定。

可是我感觉丝丝的不安。毕竟文明和野蛮的中隔线，薄弱，混沌，而且，一扯就会断。

首 尔

我看见一个僧人，从幽静的巷子里走出来。灰色的僧袍被风吹起一角。僧人脸上满是皱纹，眼神静定，步履稳重。

我看见一家纸店，宣纸一捆一捆的，大大小小的毛笔悬挂，黑色的笔杆，白色的毛，像含蓄未开的白荷花，一个美的展览。摊开在人行道上的，是厚厚一叠手工制纸，桌面一样大。纸面凹凸，纹路粗犷，纹与纹间夹着真实的沉绿色的竹叶和绛红色的九重葛花瓣。十月的阳光照在纸上，我就站在那人行道上，看呆了。要怎样地崇拜美，才会做出这样的纸来啊？

晚上，车子沿着皇宫的高墙走，转了一个弯，进入一条小路，两旁的树干笔直，全是银杏。

我看见一节台阶，歪歪斜斜、凹凹凸凸的，粗石铺成。台阶上头，是一栋歪歪斜斜的木头寮屋，看起来像任何市政府都会用黄条围一圈封锁起来的“危楼”。推木门，地板有点震动，木门咿呀作响。里头乐声流荡，人头满满。鼓、小提琴、钢琴、吉他，一个清丽的女歌手正在唱英文歌，歌声低迷幽怨。长发扎成马尾的酒保两手抓着好几个啤酒瓶，在拥挤的人群里穿梭。沙发都是破的，用胶带一层一层包扎缠绕。桌子其实是铁灰色的金属垃圾桶，桶口压一张玻璃。天花板是裸露的木结构，贴了乱七八糟的白色保丽龙，像是为了漏雨时接水。五十年代的一辆破脚踏车自天花板垂下。一幅难看的字，挂在围墙上，镜框框着。写的是“贮蓄国力”，下款是“朴正熙”。旁边一张泛黄的脏脏的人像照片。是朴正熙的照片。

朋友和我点的都是啤酒，从瓶子里仰头饮。

一九四〇年在平壤的乡下出生，是牧师的儿子。五岁时，日本战败撤离，共产党来了，一家人辗转逃到沈阳，一住就是三年。

“对沈阳印象最深的是什么？”我问他。

“只有八岁，”他说，“很多事情不懂，但是无法忘怀，一个是，日本人走了，苏联人来了，苏联兵家家户户找女人。我妈和邻居的女人一听到风吹草动就从后门窜逃，抱着我们躲到高粱田里去，一整夜都躲在田里，很冷。另一个难忘的，当然是炮火。国共内战，每天都看见炮火炸烂了房子，很多死人。城外炮火打进来，城内还在肃清。当时不懂，但是我在火车站前面看见打人，活活把人打死。国民党挨家挨户搜捕共产党人，拖出来就当场打死。太恐怖了。”

这个韩国孩子看见的是一九四八年的沈阳。孩子不知道在中共的史书里，他所经历的这段岁月是这么记下的：“一九四八年九月十二日至一九四八年十一月二日，中国人民解放军东北野战军在辽宁西部和沈阳、长春地区对国民党军进行的一次重大战役，大获全胜，歼敌四十七万多人，这就是解放战争中的第一大战役——辽沈战役。十月二十八日，东北野战军根据中共中央军委的指示，为防止沈阳地区国民党军从海上撤走，在部署辽西会战的同时，就做了追歼沈阳、营口国民党军的部署。东北野战军相继攻克了抚顺、本溪、鞍山等城镇。十一月一日，攻城部队向沈阳市区发起总攻，二日占领沈阳全城，歼国民党军十三万人。辽沈战役全部结束，东北解放军以伤亡六点九万余人的代价，歼灭东北国民党军四十七万余人。”

十一月二日沈阳“解放”或说“沦陷”了，中共中央还在次日发了贺电：“依靠我东北前后方全体军民团结一致，英勇奋斗……在三年的奋战中，歼灭敌人一百余万，终于解放了东北九省的全部土地和三千七百万同胞。”

贺电中有胜利的狂喜。

六十七岁的韩国孩子静静地说，“我们冒死逃出沈阳，流离颠沛，最后终于回到了韩国，在汉城住下来，我快十岁了。然后也是在街上，看见打死人。李承晚的警察挨家挨户搜索共产党人，拖出来在街上就活活打死。”

朴正熙独裁专政时，韩国孩子流亡欧洲，成为反对分子，被韩国政府列入黑名单，剥夺返乡权。一直到独裁者被刺杀，民主建立，他才回到韩国。那时，他已流亡十三年。

Sophistication

大陆人和台湾人很容易看见香港之所缺，譬如香港的书店很少，二楼书店很小，在体量上完全不能和台北的诚品或金石堂相提并论，在量体上不能和上海或深圳书城来比。譬如香港缺少咖啡馆或茶馆文化，既没有上海咖啡馆那种小资风情，也没有北京酒吧的前卫调调，更没有台北夜店的知识分子“左岸”气氛。譬如说，香港的政府高官很善于谈论一流的硬体规划，但是很少谈文化的深层意义和愿景。香港的知识分子很孤立，作家很寂寞，读者很疏离，社会很现实……有些人严苛地说，香港其实既不是国家也不是城市，在本质上是一个营运中的“公司”，缺少“营利”以外的种种社会元素。

可是，大陆人和台湾人也看见很多东西，香港独有，而大陆和台湾却望尘莫及，学都学不来。譬如廉政公署之肃贪有效，大陆连想都不必想，即使是民主的台湾，以过去这几年的管治乱象来看，即使把制度抄袭过去，真运作起来恐怕也很难让人有信心。譬如香港马会之兼公益和营利，来香港取经者络绎不绝，但是在建立起一个完善的制度之外，还需要公私分明、不偏不倚的工作态度，还需要一丝不苟的执行能力——大陆和台湾要达到香港的高度，恐怕也需要时间。譬如香港机场的管理和经营，巨大的人流物流繁杂穿梭交会，人在其中却觉得宽松舒适，秩序井然，管治娴熟化于无形。相较之下，任何一个华人世界香港所独有，而大陆人和台湾人不太看得见的，还有一个无形的东西，叫做都会品味。在香港人的都会品味里，sophistication是个核心的元素。

EPSON
LG
Haier
TCL

的机场都显得笨拙落后。

香港所独有，而大陆人和台湾人不太看得见的，还有一个无形的东西，叫做都会品味。它不是藏书楼里鉴赏古籍善本的斟酌，那份斟酌北京尚未断绝；它不是复古巴洛克大楼里装上最炫魅的水晶灯的张扬，那份张扬上海很浓；它也不是禅寺或隐士山居中傍着茶香竹影倾听“高山流水”的沉静，那份沉静台北很足。

香港人的都会品味，充分表现在公共空间里。商厦大楼的中庭，常有促销的酒会或展览。你提早一个小时去看它的准备：铺在长桌上的桌巾，绝对是雪白的，而且熨得平整漂亮。穿着黑色礼服的侍者，正在摆置酒杯，白酒、红酒、香槟和果汁的杯子，他绝对不会搞错。麦克风的电线，一定有人会把它仔细地粘贴在地，盖上一条美丽的地毯。宾客进出的动线，井井有条；灯光和音响，细细调配。

同样的商厦酒会或展览，放在大陆任何一个城市，多半会凌乱无章，嘈杂不堪。放在台湾，则可能要费很大的劲，才可能做到杯子不会摆错，桌巾没有油渍，麦克风不会突然无声。

如果是放在五星级酒店的募款晚会，也只有香港人知道“华洋杂处”的艺术，把什么人跟什么人排在一桌才有社交效果，放什么样的影片和音乐才能令人感动，拍卖什么东西、如何“静默拍卖”才能募集到钱，全程流利的英语，包括用英语讲笑话，使来自各国、语言各异的宾客都觉得挥洒自如。

同样的晚会，如何放在大陆或台湾呢?

如果是艺术演出前的酒会，香港人不必说就知道，舞台是艺术家的专利区，政府官员要在众人前作长官致词，红顶商贾要在镁光灯前接受表扬颁奖，都在舞台外面的大厅举行，避免上台，夺了艺术家的光彩。致词，多半很短；颁奖，多半很快。

在香港人的都会品味里，sophistication 是个核心的元素。

因此，回归十周年时，解放军特别来香港表演高亢激情的爱国歌舞——我猜想，香港人带着某种微笑在看。

我路过一场草地上的婚礼。白色的帐篷一簇一簇搭在绿色的草坪上，海风习习，明月当空，凤凰木的细叶在夜空里飘散，像落花微微。几百个宾客坐在月光里，乐队正吹着欢愉的小喇叭。一盏小灯下，竖着一张照片——新娘和新郎相拥而立的小照片。好静。

雪白的布

我们坐在半岛酒店的咖啡厅里喝咖啡。服务生倒酒的时候，一只手注酒，另一只手弯在腰后，身躯笔直，非常专业。朋友看着杯里的红酒徐徐上升，感叹地说："我记得，小时候，甚至一直到一九八〇年代，我们走过这个酒店，都还有自卑的感觉，不敢进来。"

于是就谈起贫穷的记忆：陋巷里的家，家里拥挤不堪的客厅，塞满了塑料花和圣诞灯的组合零件。每一个拥挤的客厅里有一个疲惫的母亲，不停地在组合要销往西方的廉价装饰品。每一个疲惫的母亲脚边有三四个孩子，需要吃、需要穿、需要上学。每一个孩子都记得，吃过教堂发放的奶粉，穿过面粉布袋裁成的汗衫，看过母亲四处借贷缴学费。香港人的贫穷记忆，和台湾人没有不同。

每到星期天，香港的酒楼家家客满，但是客满的景象不同寻常，到处是三代同桌：中年人扶着父母、携着儿女而来。星期天的酒楼，是家庭的沙龙。桌上点心竹笼一叠一叠加高，参差不齐，从缝里看得见老人家的白发。我总觉得，或许是艰辛贫困、相互扶持的记忆，使得这一代的中年人特别疼惜他们的长者？但是现在年轻的一代，那昂首阔步走过半岛酒店、走进豪华商厦、从头到脚都穿戴着名牌的一代——当他们是中年人时，会以什么样的心情来看待他们的父母呢？是一种被物质撑得过饱后的漠然？还是把一切都看得理所当然的无聊？

每一天，孟买的火车要承载六百万人次的乘客来来去去。贫民的木棚架设在铁轨旁，年幼的孩子从床板上爬下来，几乎就滚到了铁轨边。每年有一千个贫民窟的人被火车撞死。

印度裔的作家梅塔（Suketu Mehta）在新书《孟买得失》里描写了这一代的孟买人：每一天，孟买的火车要承载六百万人次的乘客来来去去。贫民的木棚架设在铁轨旁，年幼的孩子从床板上爬下来，几乎就滚到了铁轨边。每年有一千个贫民窟的人被火车撞死。那赶火车上班上工的人，挤不进车厢，只好将身体悬在车厢外，两只手死命地抓着任何一个可以抓住的东西。电线杆离铁轨太近，火车奔跑时，悬在车外的人往往身首异处。有一个做手工布风筝的人，不忍见死者曝尸野外，给每一个死者捐出两码白布覆盖尸体。他每个星期四到火车站巡回，每一年，要捐出六百五十码白布。年轻的时候，他曾经亲眼看见一个赶车上工的人被火车抛下；旁边的人随便扯下一块脏兮兮的广告布，把尸体盖住。他觉得太过不堪，“不管信什么教，”他说，“一张干净雪白的布，是不应该少的。”

每一年，四千个孟买人死在铁轨上。

很多人的记忆中，是有铁轨的：德国人记得在民生凋敝的“二战”后，孩子们如何跟在运煤车的后头偷偷捡拾从晃动的火车上掉落下来的煤块。台湾人记得如何跟着火车奔跑，把火车上满载的甘蔗抽出来偷吃。贫穷的记忆，在事过境迁之后，像黑白片一样，可能产生一种烟尘朦胧的美感，转化为辛酸而甜美的回忆。

但是孟买人如何回忆铁轨呢？你能想象比“被物质撑得过饱后的漠然”更贫乏的存在状态吗？

星 夜

他把好几幅画在地上摊开。小店原本就挤，三张画铺在地上，我们就不能转身，一转身就要踩到画布上了。“这一幅，”我指着凡·高的《星夜》。他说：“一百块。”我说：“六十块。”他做出夸张的痛苦的表情，指着地上的《星夜》说：“你看看你看看，画得多么好，画得多么像，就是颜料钱也不止六十块呀小姐。”我说：“那好，我们再逛逛。”他一把拉住，说：“算了算了，就六十块吧。”

油彩很浓，他用一张薄薄的塑料膜覆盖在画面上，再把画小心地卷起来。

我走出小店，踏入画家村的街，一整条街都卖画，颜色缤纷，琳琅满目，气氛像成衣市集，只是挂得满坑满谷的不是衣服，是画。据说是一个奇人在这深圳的边缘荒村专门模仿凡·高的画，画得多，画得像，以至于国际媒体都纷纷来采访这中国深圳的“凡·高”。没几年，荒村已经变成画家一条街。凡·高的画，人人能画，从这里批发到香港的小摊上，和开衩的旗袍、绣着五彩金龙的衬衫、缎料的面纸盒等等“中国风味”礼品混在一起，卖给观光客。

回到家，我把《星夜》摊开，仔细端详。从色彩和结构来说，仿得还真像，该有的笔触，显然一笔都不少。如果——我将窗户打开，让海风吹进来，因为画的油彩气味还呛鼻——如果，用科学的方法鉴定，仿画的人功夫确实好到完全逼真，好到任何人都看不出破绽来，我是否能被这幅《星夜》感动呢？

爱上《星夜》，是有过程的。住在大海旁每天看日落月出，就发现有一颗星，总是在黄昏时就早早出场，那样大，那样亮，那样低，使我疑惑它是不是渔船顶上的一枚警示灯？是不是一架飞机停在空中探测气候的动向？是不是隐藏在山头里只有云破时才看得见的一盏隐士读书的火？那颗星，低到你觉得海面上的船桅一不小心就会钩到它。

太阳沉下去，月亮起来时，星还在那里，依傍着月亮。不管那月亮如何地艳色浓稠，这颗星还是堂堂正正地亮着。

有一天黄昏，一个天文学家在我的阳台上，我们一同看那轮绯霞绚烂的夕阳在星的陪同下，从云到山到海，冉冉层层拾级而下。他说："海面上看金星好亮。"

我吃一惊，啊，原来它就是金星，维纳斯。无知的人，朝朝暮暮看着它，却不知它的身份。今天知道了，跟它的关系可就不一样了。

我赶忙上网去看凡·高的《星夜》，因为我记得，他画的是金星。

凡·高在法国南部的精神疗养院里，写信给他的兄弟："今天早上，天还没亮，我在窗口看了很久，窗外什么都没有，唯有一颗金星，好大的一颗星。""夜，"他说，"比白天还要活，还要热烈。"

如果我失眠，披衣起身，走进沁凉的夜里；如果我凑巧走过一个大门深锁的精神病院，那么我一仰脸就会看见在黑沉沉的大楼上有一扇开着的窗，窗口坐着一个孤独的人，正在注视大地的荒芜和人间的荒凉，只有夜空里的星，有火。他说："看星，总使我神驰……我问自己：我们摊开地图，指着其上一个小黑点，然后就可以搭乘火车到那个点去，为什么我们到不了那颗星呢？我们难道不可以搭乘'死亡'到星星那一站？"

三十七岁的凡·高真的买了一张死亡的单程票，说走就走了，行囊里只有煎熬的痛苦和无可释放的热情。《星夜》，在我看来，其实是一幅地图——凡·高灵魂出走的地图，画出了他神驰的旅行路线：从教堂的尖塔到天空里一颗很大、很亮、

《星夜》，在我看来，其实是一幅地图——凡·高灵魂出走的地图，画出了他神驰的旅行路线：从教堂的尖塔到天空里一颗很大、很亮、很低的星，这颗星，又活又热烈，而且很低，低到你觉得教堂的尖塔一不小心就会钩到它。

很低的星，这颗星，又活又热烈，而且很低，低到你觉得教堂的尖塔一不小心就会钩到它。

我会被深圳画家村的《星夜》感动吗？

换一个问法：如果科学家能把一滴眼泪里所有的成分都复制了，包括水和盐和气味、温度——他所复制的，请问，能不能被称做一滴“眼泪”呢？

卡夫卡

躺在卧房地毯上和鹿鹿通电话，谈到一些吊诡的现象：为什么在大陆，年轻人反而比台湾的年轻人有国际视野？为什么在多元的台湾，报纸和杂志的品质反而比大陆差？苏花公路建或不建，核心的观念误区究竟在哪里？“有些问题不能不面——”

一句话讲到一半，我眼睁睁看见一条长虫，离我的光脚十五厘米，正摇摇摆摆过路，就在我的地毯上。它大概有我整个脚板那么长，深褐色，圆滚滚的，几百对脚一起努力，像一排军队白日行军，像一列火车庄严进站。

我看呆了，缩起脚，心怦怦跳，全身发麻，一直麻到舌尖，语无伦次地挂掉电话，脑子里一阵闪电，天哪，怎么办怎么办——怎么办？

我不惧蜘蛛蝗虫，甚至很多人要尖叫的蟑螂和老鼠，我都可以拿出写文章的凛然正气，从容对付。但是蚯蚓毛虫蛇，蜈蚣水蛭蛆……任何长长软软的东西，都使我心脏打结，脑子发晕，恶心感和恐惧感从脚板一路麻到头盖骨。小时候，生物课本里凡有蛇的图片都被我遮起来。做了母亲以后，每到一个城市一定带孩子去动物园，但是到了爬虫类那一区，我会抵死不从，谁也不能让我进去。我相信有人在我体内植入了一种和亚当、夏娃一样原始的芯片，让我对那长长软软之徒有非理性的恐惧。

我冲到厨房，打翻了电话，撞倒了除湿机，差点摔跤，拿到了好大一罐杀虫喷剂，扑回卧房，发现那家伙还在努力走——它腿虽多但是太慢，我安心了不少，因为这代表它不会马上爬上我的床，消失在被子和枕头里——天哪，这是多么恐怖的想象。喷筒对准它时，我的理性开始发作：此物何辜？误闯卧房，就该死吗？而且，此物的一生有多长？会不会还是个“少年”？

我麻麻地，手里的喷剂对准它，强迫自己飞快思考，这是危机处理、瞬间决策：我敢不敢拿纸，包住它的身躯，然后把它丢到窗外泥土里？

想到它的身躯，我打了一个颤——受不了那强烈的恶心。

那……能不能拿块毛巾，把它裹住，丢掉？毛巾比纸要厚啊。

那多足的家伙又往前走了几分。

我奔回厨房，打开抽屉，拿出一双筷子，窜回卧房。我相信我一定脸色发白、嘴唇发紫，腿有点颤抖，当我伸出一双筷子，夹住它的身躯中段，把它凌空拎起——我几乎感觉窒息，心想，哎，它可不是卡夫卡吧？

它从二楼阳台，循着一条抛物线，被丢下去。我捂住胸口，颠颠倒倒奔回厨房，把筷子甩进垃圾桶。回到卧房，不敢进去。如果有一条虫，是否还有另一条？是否藏在枕头里？

和鹿鹿重新通话，她笑了，调侃地说，“这就是单身女郎的可怜之处了。”

我不知道，但是我也看过因为老鼠跑过鞋子而尖叫连连的男人啊。

把床褥翻遍，然后拿了喷剂把阳台接缝处全盘喷洒一遍，我才敢再进卧房。

早上，就做了点功课。昨天那家伙，拉丁文叫“千足虫”(millipede)，中文叫“马陆”。它不是蜈蚣，蜈蚣的拉丁文叫“百足虫”(centipede)，两者都不是“昆虫”，而是“节肢动物”。马陆慢，蜈蚣快。马陆的身体每节有两双脚。虽然没有千足，但是真的有一种马陆有七百五十只脚。平常的马陆有八十到四百只脚。

我读得仔细：“马陆腹部有九到一百节或更多。因其肢体较短，仅能以足作推进行走而无法快速运动。每一腹节上除具两对步足外亦有两对气孔、两个神经

这可怖的东西还真的有它自己的风情和生命呢，无数只的脚，无穷尽的奋斗，一生的努力，只能走一点点的路。我有点心软了。

节及两对心孔。马陆之生殖腺开口于第三体节之腹面中央，行体内受精，雄体以位于第七体节处之生殖脚传送精液入雌体。”

还有“生殖腺”和“精液”啊？这可怖的东西还真的有它自己的风情和生命呢，无数只的脚，无穷尽的奋斗，一生的努力，只能走一点点的路。我有点心软了。

常识

发现一条长虫的名字叫“马陆”之后，就去了屏东。两个屏东人听了我的故事，不屑地说，“大惊小怪。”马陆，他们从小就知道。而且，他们纠正我，马陆的身躯不像蚯蚓一样软，是硬的，还带壳。

这回轮到我惊了——这会不会又是一件“众人皆知我独愚”的事?

我对台湾是有巨大贡献的，就以《康健杂志》的成立而言，我就是那关键因素。有一年，从欧洲回台湾，先去探视一位长辈。他看起来颇为疲累，问及缘由，长辈遂谈起“前列腺肥大”的种种苦恼。告别之后，匆匆赴好友殷允芃之约。赶到时，允芃已嫣然在座。见我形色匆忙，允芃关切地问：“怎么看起来有点疲累？”

实在不知该怎么回答——我觉得很好啊，可是既然看起来“疲累”，那——我不假思索对她说，“可能前列腺肥大吧。”把包包放下，坐下来，拿过菜单，跟侍者点了一杯马其朵咖啡，这时才觉得允芃端详我的表情有点怪异。

她是在等着看我解释自己的“玩笑”。等了半天，发现我没开玩笑的意思。于是她把身体趋前，那种尴尬的神情，好像在告诉一个男人他的裤裆拉链没拉上，她小声地说：“应台，嗯……女人没有前列腺。”

嗄?

我愣住了。

当天，就在那中山北路的咖啡馆里，当我的马其朵咖啡正在一个白色瓷杯里颤悠悠地被送过来的途中，台湾《天下杂志》发行人殷允芃决心创办《康健杂志》。她的理由是，如果像龙应台这种人对于医学常识都糟到这个程度，那么显然很多人都需要被她拯救。

我为自己的无知觉得羞惭，很抬不起头来——这故事要在台北的文坛江湖怎样地流传啊。一直到有一天，见到了好朋友J，他是个赫赫有名、粉丝群庞大的作家兼画家。J听了众人笑我的故事，很有义气地拍拍我的肩膀说，"不要紧。我都到最近才知道，原来前列腺不是长在脖子里。"J，可是个雄赳赳气昂昂的大男人。

什么叫知识的盲点，我在十七岁那年就知道了。读台南女中时，每天放学后在同一个车牌等交通车回家。在那里站了大约一年以后，有一天，望着车水马龙，我终于问站在身旁等车的同学："为什么马路这一边的车都往这个方向，那边的车都往另一个方向？"

那个同学的表情，基本上就是后来的殷允芃的表情，很怪异。

所以现在，是不是天下的人都知道"马陆"，只有我不知道？

我紧张了。

第二天家庭聚餐，刚好两个大学生侄儿在座，马上做民意调查，"你们知不知道一种虫叫马陆？"

他们两个眼睛转转，像国中生一样地回答："节肢动物，很多脚。"

我心一沉，不妙。他们也知道。"和蜈蚣差别在哪？"我再问。

"一个扁，一个圆。一个有毒，一个没毒。"

"还有呢？"

"不知道了。"

"见过吗？"

"没有。课本里有图。考试有考。"

我觉得稍稍扳回一点，故作姿态老气横秋地说：“你看你们，都只有课本假知识，其实不知道马陆是什么。我告诉你们：蜈蚣的身体一节只有一对脚，马陆每节有两对脚。”

哥哥一旁听着，一直不说话，这时却突然插进来，悠悠说：“我记得有一年，我们一群人一起在嗑瓜子，你发现你嗑得比所有人都慢，然后才知道，原来嗑瓜子要从尖的那一头嗑起，你却从圆的那头拼命嗑。那时你都三十多岁了。”

两个大学生同时转过来惊呼：“嗄？嗑瓜子要从尖的那一头？”

淇 淇

某年自欧返台，与纪忠先生闲散聊天。其忆及一九三二年正值英气风发时初次泛游长江，见江水壮阔，平野无边，深叹江山之伟丽，然而印象最深刻者，莫如江中多次所见巨鱼成群，浮沉翻跃，水光激溅。

“鱼，”先生伸展两臂比拟，“硕大如牛犊。”

我惊得几乎跌落手中之匙。方才捧读《入蜀记》，今日便闻书中语。一一七〇年，中年陆游畅游长江，所见如是：

> 巨鱼十数，色苍白，大如黄犊，出没水中，每出，水辄激起，沸白成浪，真壮观也。

民国之纪忠可知苍茫大江所见，同于七百六十年前宋人陆游所目睹？

回欧洲书房，重读《入蜀记》，细细爬梳与陆游同时代、共江山之水中同侪：

> 江中江豚十数，出没，色或黑或黄……俄又有物长数尺，色正赤，类大蜈蚣，奋首逆水而上，激水高二三尺，殊可畏也。

……大如黄犊之巨鱼，显系江豚或白鳍豚，然数尺长之江中“大蜈蚣”，好不怕人，又系何物？

早间同行一舟，亦蜀舟也，忽有大鱼正绿，腹下赤如丹，跃起舵旁，高三尺许，人皆异之。

读之不禁莞尔；“春风正绿江南岸”，“夜半无人莺语脆，正绿窗风细”之“绿”，陆游以动词挥霍，“忽有大鱼正绿”，真滑稽唐突，鲜活可爱也。历史生物学家或可解惑，此“大鱼正绿，腹下赤如丹”者，今日何在？

十二日。江中见物，有双角，远望正如小犊，出没水中有声。

晚泊橹脐洑，隔江大山中，有火两点若灯，开阖久之。问舟人，皆不能知。或云蛟龙之目，或云灵芝丹药光气，不可得而详也……

晚，观大鼋浮沉水中。

陆游之时，头角峥嵘、硕大如牛犊之巨鱼，泅于水中；目光炯炯、开合若电眼之怪兽，藏于山中。矗立船首，随兴举目，则“观大鼋浮沉水中”。上岸夜泊小村，则见长江江中唯有巨鱼，村民“欲觅小鱼饲猫，不可得”。

二○○六年十一月，数十名国际科学家齐聚武汉，装备齐整，巡游长江，上下纵横三千公里，寻找白鳍豚。《尔雅》古籍记载长江白鳍豚身世，晋学者郭璞为之作注：

鳍属也，体似鲟鱼，大腹，喙小，锐而长，齿罗生，上下相衔，鼻在额上，能作声。少肉多膏，健啖细鱼。大者长丈余，江中多有之。

淇淇独处世间长达二十二年，郁郁以终。洪荒万年，独对穹苍灭绝，谓之大寂寞可也。（王熙维摄）

国际团队循江探索长达月余，最终宣布：白鳍豚，两千五百万年与大地同老之“活化石”，已经绝迹。

一九八〇年，农民曾于洞庭湖畔打鱼时，遇一迷途白鳍豚，伤痕累累，搁浅沼泽。专家拯救，饲于屋宇之内，名之淇淇，爱之护之养之育之。

淇淇独处世间长达二十二年，郁郁以终。洪荒万年，独对穹苍灭绝，谓之大寂寞可也。

狼来了

德国环保部今年二月开了一个很正经的会议，主题是：“谁怕大野狼？”穿西装的人们坐下来热烈地讨论：欧洲森林里消失了一两百年的灰狼又回来了，该怎么处理？

读这样的新闻，实在让人忍俊不住，你可以想象一群“东郭先生”开会讨论“中山狼”吗？

德国的狼，被格林兄弟抹黑得可厉害。好几代人，从还不会说话、走路的幼儿期，就被他们的父母以床边故事的温柔方式灌输“狼很可怕”的意识形态。小红帽的奶奶就被那尖牙利嘴的狼给吞下肚了。而且狼还有心机，它会伪装成奶奶的样子来骗小红帽。七只可爱小羊在羊妈妈出门的时候，差点全完蛋。那狼，不但会装出妈妈嗲嗲的声音，还会用面粉把自己的手敷成白色。三只小猪，那更别说了，被个大野狼搞得倾家荡产。最后，当然是邪不胜正，野狼总是会死的，而且格林总让它们死得很难看。小红帽的大野狼是被猎人的枪给轰死的，七只小羊的大野狼是淹死了以后再被开膛破肚的。

这样在仇恨教育中长大的孩子，真正长大以后能与狼和平共处吗？中文世界里的狼，名誉和境遇好不到哪里去。狼心狗肺、狼狈为奸、狼吞虎咽、鬼哭狼嚎、声名狼藉、杯盘狼藉、豺狼成性、官虎吏狼、引狼入室、“子系中山狼，得志便猖狂”……哪有一个好词？

在罗马、蒙古和日本原住民的远古传说里，狼都是高贵和力量的象征，但是挡不住污名化。人类对狼族进行理直气壮的“种族大屠杀”，到了二十世纪，欧洲和北美的森林里，狼已经基本被清算干净。

同时，城市里每一个广场上，鸽子聚集。

纽约市有一百万只鸽子。在水城威尼斯，鸽口是人口的三倍，走路过桥都要被鸽子撞上。每一对鸽子夫妻平均一年要生十二个孩子鸽，繁衍速度惊人。市政府的卫生官员都很头痛，因为鸽子带来种种疾病，尤其对孕妇、儿童、老人、病人威胁最大。鸽子，其实就是一种长了翅膀的老鼠。人们谈鼠疫而色变，对于会飞的“老鼠”却宠之喂之姑息之，因为，唉，鸽子的形象实在太好了。

《圣经》里，洪水几乎毁灭了丑陋的人类，绝望中的第一线光明，就是鸽子衔着橄榄叶带来的。从此，鸽子的肥，被看作可爱；鸽子的笨，被看作和平。鸽子泻肚似白稀稀的粪便，糊住伟人铜像的眼睛；沾着唾液脏脏的羽毛，掉进你露天的咖啡杯里。卫生部门发明出各种排除鸽子的方法——把避孕药掺进它们的食物里，用噪声波驱赶，但是没人敢大咧咧地说，要灭杀鸽子。如果有哪个不要命的官员敢用“灭鼠”的方式或甚至语言来谈鸽子的处理，那他真的不要命了，爱好和平的市民会愤怒地驱逐他，对他吐口水。

狼，快消失了，保育人士开始为狼族平反，从形象开始。东自波兰西至英国，呼吁尊重“狼权”的团体越来越多。在广场上摆出花花绿绿的摊子，也许隔壁就是“抗议苏丹屠杀”的摊子。狼的庄严的照片放在海报上，激越的声音告诉过路的人，狼，从来就不害人，它躲人唯恐不及。保护政策开始出现，今天，挪威有二十只，意大利五百，西班牙两千，瑞士有三只，瑞典有九群，德国有三十只。美国的黄石公园，为狼权努力了很久，现在有四百五十只快乐的狼。

你说，狼吃了农人的羊怎么办？是的，农人生气地说，你们城市人自以为浪漫，喜欢森林里有大野狼，但是大野狼吃我们的羊，谁赔？结果是，农民可

穿西装的人们坐下来热烈地讨论：欧洲森林里消失了一两百年的灰狼又回来了，该怎么处理？

以申请国赔，于是农民也不说话了。但是申理国赔之后，统计数字一出来，人们发现，狼其实并不那么爱吃人家养的羊。反倒是，森林里因为又有了狼，生态平衡更健康了点。在狼族回来之前，黄石公园里因为麋鹿太多，杨树和柳树被麋鹿吃个殆尽，使得需要杨、柳树的水獭和大角驼鹿难以维生。在狼族回来之前，体形较小的土狼猖獗，害死了狐狸部落。

狼来了，麋鹿少了，而且把吃不完的麋鹿肉留给大灰熊，于是大灰熊的孩子们多了起来。狼来了，土狼少了，小鼠小兔多了，于是狐狸和秃鹰们就成了旺族。

狼来了，唉，真好。

新移民

在纽约生活过四年，四年中，比较难忘的，不是那都市的繁华和人文的鼎盛，倒是我小小院落里那一帮。

院子外面是一片荒野树林，杂木丛生，荆棘满地。从它们藏匿的地方看向我家，灯火一定是重大信号。晚上，厨事结束，厨房的灯火先灭。然后是书房和客厅的光与人影。更晚一点，书房和客厅的灯火熄灭，必定是卧房的灯亮起；当这盏灯也灭了，树影幢幢，映在发光的雪地上，它们一帮就从黑影中开始蠢动，准备翻过篱笆。

开始时，听见院子里有声音，我们以为有贼，悄悄下床来，贴在黑暗的窗口往外窥视，外面一片月光，白雪灿然，那一帮五口，已经翻身而入，身材高矮肥瘦不一，错落站在雪地上，显然正在打量形势。它们脸上仿佛蒙着面具，两只眼睛像用大把黑墨涂过，涂抹过度，又浓又黑，看起来就像化装得不太标准的假的江洋大盗，也像被人打得两眼乌青的马戏团小丑。爸爸妈妈，伙同三个没教养的子女，在月光下，朝我们的厨房台阶匍匐前进。

台阶上，放着垃圾桶和厨余。它们将翻箱倒箧，搜刮一空，甚至当场花天酒地，搞个脑满肠肥，然后扬长而去。离开犯罪现场时，也不会稍加整理，掩饰罪行，以至于第二天早晨，我们会有一地的狼藉不堪要收拾。

我们和这一家浣熊共同生活了四年。为了认识邻居，我查了些数据，才知道，浣熊固然可以活到二十岁，这些落籍大城市的北美原住民族人，平均寿命却只有两三岁，因为，它们会被汽车碾死，或吃到有毒的食物，而一旦母亲死了，幼儿就很难生存。

一九〇四年，英国的耸动报纸，以“纳粹浣熊”做标题，说，“纳粹浣熊横扫欧陆后正向英伦进军……行军英吉利海峡，即将进行毛茸茸的闪电战术。”咦，浣熊不是只有北美才有吗？哪里来的“纳粹浣熊”？

原来，一九三四年，时任德国森林部长的戈林曾经批准把一对浣熊童男童女送进德国森林里去开山建国，为了“增进德国森林的多样性”。一九四五年盟军轰炸柏林时，一个专门为皮毛养殖浣熊的农场被轰炸，浣熊被“解放”，奔向自由的森林。一九六〇年代，北约的美国士兵在任务结束时，往往把他们在军营里饲养当作“吉祥物”的浣熊释放，也促成了浣熊的战后婴儿潮。

六十年后，德国的森林里据估计可能已经有上百万的浣熊族。一向只在电视上看见过浣熊的德国人赫然发现，这些看起来滑稽的外来移民，涂了黑眼圈的宵小族群，不但会用它们毛茸茸的手打开紧盖的垃圾桶，还会潜入葡萄庄园的地下酒窖，用它们的利齿啮开酒桶，喝个酩酊大醉。有些浣熊喜欢在城市里讨生活。五星级的古迹城堡酒店也开始发现，阁楼里有不明脚步声，奶酪和鸡肉会神秘失踪，突然停电是因为电线被咬断；有一天，阁楼的天花板竟然整片垮了下来——浣熊们吃得太饱，太重了。

一百万个长相可笑的新移民，夜夜出来肆乱狂欢。于是，传统的猎人不得不也上场了。背上枪，穿上长筒靴，走进了森林。

邀请浣熊们来欧洲做“开山圣王”的戈林，后来不管森林了，变成纳粹德国的空军大元帅，希特勒的指定接班人。一九四五年，在纽伦堡战犯大审中，被判绞刑。戈林要求以军人的死法——枪决——来结束生命，不得允许，于是在上绞架前两小时，吞氰化钾而亡。在下令“终结”犹太人的文件上，戈林的签署是最高官阶——懂得森林需要“多样性”的人，却不懂得人的社会也需要“多样性”。

然而在狱中等候死亡的戈林，对人民与领袖之间的权力从属关系，说过一番深刻的话：

> 一般人当然都不愿有战争，不论是俄罗斯、英国、美国，或德国。那是当然。但是，做决定的总是政治领袖，把人民拖着走是个简单不过的事，不管是民主还是法西斯专政，不管是议会制度还是共产独裁。不管有没有声音，人民是很容易被领袖使唤的，实在太容易了。你只要告诉他们外面有敌人威胁，然后把反对战争的人全打为“不爱国”或说他们使我国陷于危机，就行了。这一招，可是在哪个国家都一样啊。

蔚蓝

难入眠时，乱翻古籍，常得意外，一有意外，自然更为难眠。昨夜在灯下阅《老学庵笔记》，读到陆游谈语言：

> 蔚蓝乃隐语天名，非可以义理解也。杜子美《梓州金华山诗》云，“上有蔚蓝天，垂光抱琼台。”犹未有害。韩子苍乃云：“水色天光共蔚蓝”，乃直谓天与水之色俱如蓝尔，恐又因杜诗而失之。

原来已拥被在卧，此刻匆匆披衣下床，疾疾步往书房，寻找韩驹的完整诗句：

> 汴水日驰三百里，扁舟东下更开帆。
> 旦辞杞国风微北，夜泊宁陵月正南。
> 老树挟霜鸣窣窣，寒花垂露落毵毵。
> 茫然不悟身何处，水色天光共蔚蓝。

陆游竟然认为韩驹错用了“蔚蓝”的意思，它根本应该是名词，不是形容词。深夜里，我光着脚板，穿着睡衣，握着一卷宋诗，在黑黝黝的书房里，走神了。

二十二岁的时候，一件很小的事情，影响了我日后一生的为文风格。在一封幼稚的，表达思念的情书里，我用了“蔚蓝的天空”这个词。两人会面时，这个学物理的男生问我：“你知道‘蔚蓝’的意思吗？你知道‘蔚’的意思吗？”我傻了，第一个念头，“蔚蓝”就是“蔚蓝”，还需要问吗？第二个念头……诚实地说，啊，我还真不知道“蔚”，或者“蔚蓝”，是什么意思。

他静静地说，“那么，你为什么要用你并不真正理解的字或词呢？”

我睁大眼睛瞪着他看，心想，你这家伙是在用物理学的规则诠释语言吗？宇宙万物，难道只能容许名词，不容许形容词？难道只有名词才算是真实的存在？

读外文系的我，无法回答他，譬如，“蔚”代表盛大、壮观、伟丽，《颜氏家藏尺牍》里说：“海内人文，云蒸霞蔚，鳞集京师，真千古盛事。”人文可以如霞彩满天。我也没有学问可以跟他说，那你去读《文选·西都赋》吧，里头有“茂树荫蔚，芳草被堤”，形容草木繁盛，还有，你去读李格非的《洛阳名园记》吧：“其间林木荟蔚，烟云掩映，高楼曲榭，时隐时见。”绿荫浓得化不开，就是“蔚”。

这原始丛林似的葳蕤蓊郁，这火烧天际似的瑰丽壮阔，全指的是一个“蓝”字，你能想象那天空蓝到多么深邃、蓝到多么彻底、多么无边无际吗？

二十二岁的我，无法回答，但是，他的质问，像留在皮肤深层的刺青，静静地跟着我长，然后成为我写作的胎记——不懂的字，不用。

怎么陆游会特别挑“蔚蓝”这个词来谈呢？而且，他认为“蔚蓝”根本就是个名词，“天”的代词，韩驹不该把它变成了形容词。

写“上有蔚蓝天”的杜甫死于七七〇年，是八世纪的人。作“水色天光共蔚蓝”的韩驹是十二世纪的人——死于一一三五年。陆游批评两人的“蔚蓝”，大约是一一九四年。我学到对“蔚蓝”不可轻率，是一九七四年。

放下书，走近窗，把窗扇用力推出，海风从窗口“簌”一下吹入，然后就听见海浪轻轻拍岸的声音。

两人会面时，这个学物理的男生问我：「你知道『蔚蓝』的意思吗？你知道『蔚』的意思吗？」

我傻了。第一个念头：「蔚蓝」就是「蔚蓝」，还需要问吗？第二个念头……。

诚实地说，啊，我还真不知道「蔚」，或者「蔚蓝」，是什么意思。

花树

家住欧洲时，常常在花园中除草，但总是保留一隅，让野草怒长。夏天，白色的马格丽特纤纤细细地冒出大地，长到一个孩子那么高，然后就每天随风舞荡。但是每年冬雪初融，让我满心期待的，却是初春的蒲公英。西欧的蒲公英花朵特别大，色泽浓稠，开出来像炸开的菊花遍野。

可是规矩的德国人把蒲公英定位为野花，野花不除，代表社会秩序的混乱。铲除人行道上从石缝里钻出的蒲公英，就是屋主的责任。因此周末时，我就常和幼小的孩子义务劳动，跪在人行道上死命拔蒲公英的根。不愿意用农药，只好用手拔。

因此我熟悉蒲公英的根。地面上的茎，和茎上一朵花，只有短短十厘米，地下面的根，却可以长达半米。拔出来，那根是潮湿的，粘着柔润的土，偶尔还有一只小小不甘心的蚯蚓，缠在根须上。

蒲公英对我不仅只是蒲公英，它总让我想起年轻时读爱默生（Ralph Waldo Emerson，1803—1882）。二十三岁的我，在思索文字的艺术。然后不知在什么样的晚上，爱默生的文字跳进眼里："文字，应该像蒲公英的根一样实在，不矫饰，不虚伪。"

好像是很普通的说法，可是这个意象，跟了我一辈子。蒲公英的根，是连着泥土的，是扎根很深的，是穹苍之下大地野草之根。

爱默生在哪篇文章里说到这个而影响了我呢？找不到出处了，但是乱翻书时碰见他的一首诗，三十年没读他的诗，有故交重逢的欣喜。但是，白话的中文翻译读来像加了氟的自来水稀释过的果汁，平庸乏味。

紫杜鹃

五月，当凄厉的海风穿过荒漠，
我看到树林里紫杜鹃灿然开放，
无叶的花朵点缀于阴湿的角落，
荒漠和缓流的小溪有多么快乐。
紫色的花瓣纷纷扬扬飘入水池，
乌黑的池水因这美丽欢欣无比。
红鸟可能会飞来这里浸湿羽毛，
向令它们惭愧的花儿倾吐爱慕，
紫杜鹃！如果圣人问你，为何
你把美艳白白抛掷在天地之间，
告诉他们，亲爱的，
如果眼睛生来就是为了观看，
那么美就是它们存在的理由。
你为什么在那里。玫瑰的匹敌
我从未想起要问，也从来不知道。
不过，以我愚人之见，我以为，
把我带来的神明也把你带到这里。

干脆自己动手吧。找出英文原文，坐下来，生平第一次译诗：

先生曰：「你未看此花时，此花与汝心同归于寂，你来看此花时，则此花颜色一时明白起来，便知此花不在你的心外。」

紫杜鹃

五月，海风刺透静寂
林中忽遇紫杜鹃
叶空，花满，遍缀湿地
荒原缓溪为之一亮
紫瓣缤纷飘落
黑水斑驳艳丽
绯鸟或暂歇凉
爱花瓣令羽色黯淡
若问汝何以
绝色虚掷天地
请谓之：眼为视而生
则美为美而在
与玫瑰竞色
何必问缘起
吾来看汝，汝自开落
缘起同一

写着写着，忽然心动停笔，想到——这首诗，岂不正是十六世纪王阳明的同道呼应？

先生游南镇，一友指岩中花树问曰："天下无心外之物，如此花树，在深山中自开自落，于我心亦何相关？"先生曰："你未看此花时，此花与汝心同归于寂，你来看此花时，则此花颜色一时明白起来，便知此花不在你的心外。"

乱离

这条巷子很短，巷头看到巷尾，不过五十米。而且巷子还挺丑的，一棵绿色的树都没有。我只是散步，看见这一户的大红门上贴着“售”字，包里刚好放了个相机，就“咔嚓”拍了张照片。从来没问过卖房子的事，也从来没这样拍过照。但是，不知道为什么，就这样回到了办公室。

几个小时之后，竟然又想起这件事，于是拿出相机，打开照片，把号码抄下来，请小春打电话去询问房子多少钱。小春就在我眼前打电话。她是个满脸笑容的甜蜜女孩儿，欢欢喜喜客客气气地问:“请问……”但是没说几句话，脸就变了颜色。

她吞吞吐吐地说 :“那个业务员说，是职业道德，一定要讲清楚……”

“凶宅？”

她点头。一个七十岁的老兵，被讨债的人活活打死在房间里头。

“喔，”我兴高采烈地说，“好啊，约他今晚去看房子。”

“晚上？”小春睁大了眼睛。

冬天的晚上，天黑得早。凉风飕飕的，我们走进巷子里，没有树的巷子在昏昏的路灯下看起来像废弃的工厂畸零地。业务员小伙子在停机车，路灯把他的影子夸大地投在墙上。这时，我们发现，大门是斜的。“路冲，”他一边开锁一边说，“大门对着巷口，犯冲。”我悄悄看了眼路口，一辆摩托车“咻”地一下闪过，车灯的光无声地穿进巷里又倏忽消失。

进了大门，原来是露天的前院，加了塑料顶棚，遮住了光，房间暗暗的。业务员开了灯，都是日光灯，惨白惨白的，照着因潮湿而粉化脱落的墙面，我们的人影像浮动的青面獠牙。小春小声地问："什——什么时候的事？"

"七年前了，"业务员说，一面皱着鼻子用力在嗅。小春紧张，急促地问，"你在闻什么？在闻什么？"

"没有啦，"业务员停下他的鼻子，说，"只是感觉一下而已。"

"感觉什么？你感觉什么？"小春克制不住情绪，几乎就要掐住那人的脖子。

我说："总共有三个卧房，请问老兵住哪个房间？"

业务员站得远远的，遥遥指着厨房边一个门，说："那个。就在那个房间里。"

我走进他指的房间，听见他在跟小春说："他们把他绑起来，两只手用胶带缠在后面，嘴巴用抹布塞住，然后打他踢他，最后用他自己的夹克套住头，把他闷死。邻居都听见惨叫，可是没有人下来。"

房间大概闷久了，有逼人的潮气，墙角长了霉，晕散出一片污渍，有一个人头那么大。

"很便宜啊，"业务员这回是对着我说的，但仍旧站得远远的，"很便宜啊，才一千万。"

我走出霉菌长得像人头的房间，问他："老兵叫什么名字？"

业务员说："名字满奇怪的，叫莫不谷。"

姓"莫"名"不谷"？这可是个有来历的名字啊。《诗经·小雅·四月》：

> 四月维夏，六月徂暑。先祖匪人，胡宁忍予？
> 秋日凄凄，百卉具腓。乱离瘼矣，爰其适归？
> 冬日烈烈，飘风发发。民莫不谷，我独何害？

三四个人，开始谈起自己亲身「碰触」的经验。沙上有印，风中有音，光中有影，死亡至深处不无魂魄。

以《诗经》命名的一个孩子，在七十岁那年，死于残暴。

一个星期以后，我和十个教授朋友聚餐，都是核子工程、生化科技、物理动机方面的专家。我把看房子的故事说了，然后问："反对我买的举手？"

八个人坚决地举起手来，然后各自表述理由——有一个世界，我们肉身触不到、肉眼看不见的世界，可能存在，不能轻忽。三四个人，开始谈起自己亲身"碰触"的经验：沙上有印，风中有音，光中有影，死亡至深处不无魂魄之漂泊……

另外两个默不作声，于是大家请他们阐述"不反对"的理由。众人以为，看吧，正宗的科学家要教训人了。然而，一个认真地说："鬼不一定都是恶的。他也可能是善的，可以保护你，说不定还很爱你的才气，跟你做朋友。"另一个沉思着说："只要施点法，就可以驱走他。而且，你可以不在那里住家，把它当会客的地方，让那里高朋满座，人声鼎沸，那他就不得不把地方让给你了。"

又过了一个星期，和一位美国外交官午餐。我把过程说完，包括我的科学家朋友的反应，然后问他的意见。外交官放下手里的刀叉，露出不可置信的神情，直直地注视着我说："我的朋友，这有什么好犹疑的？当然不能买啊。你不怕被'煞'到吗？"

倒是小春，从那时起，就生病了。后来医生说，她得了忧郁症。

时间

二〇〇七年最末一个晚上，十八岁的华飞去和朋友午夜狂欢。我坐在旅店的窗边，泰北冬季的天空洁净，尤其当城市的灯火因贫穷而黯淡，星星就大胆放肆了，一颗一颗堂堂出现。但是星星虽亮，却极度沉默，下面的街头人声鼎沸，乐鼓翻腾。刚从街上的人流里撤回，我知道，像河水般涌动的是情绪激越的观光客，但是暗巷里骑楼下，疲惫的女人正开始收摊，她们赤脚的幼儿蜷在一旁，用破毯子裹着，早睡着了。

然后烟火，冲向天空轰然炸开，瞬间的璀璨，极致的炫美，人们雀跃欢呼。这是跨年之夜。可是，这不是神明的生日，不是英雄的诞辰，不是神话中某一个伟大的时刻，不是民族史里某一个壮烈的发生，那么，人们庆祝的究竟是什么呢？

想想看，你用什么东西量时间？

一只沙漏里细沙流完是一段时间。一炷馨香袅袅烧完是一段时间。一盏清茶，从热到凉，是一段时间。钟表的指针滴答行走一圈，是一段时间。

有时候，我们用眼睛看得见的“坏”去量时间。一栋每天路过的熟悉的房子，从围墙的斑驳剥落到门柱的腐蚀倾倒，然后看着它的屋顶一寸寸扩大垮陷，有一天野树爬藤从屋中昂然窜出，宣告完成——需要多少时间？

有时候，我们用非常细微的“动”去量时间。星星的行走、潮水的涨落、日

有时候，我们用眼睛看得见的「坏」去量时间。

影的长短，不都是时间的量器？在香港的海滨，我看每天金星出现在海平线上的点，冬天和夏天不同。在台北的阳明山上，我看夕阳下沉时碰到观音山脊的那一刹那，春天和秋天也不同。

你是否也用过别的量法？孩子小时，我在他们卧房的门沿挂上一个一米半高的木板量尺。每一年孩子的生日，让他们站在门沿背对着尺，把他们的高度用小刀刻下。于是刻度一节一节高升，时间也就一节一节在走。

南美洲有一家人，夫妻俩加五个孩子，每一年的同一天，一家七口一人拍一张大头照，三十年不曾间断。三十年中，红颜夫妻变成老夫老媪，可爱纯真的婴儿变成心事重重的中年人。

还有那疯狂的艺术家，突然决定写数字。醒来一开眼就写连续累积数字，吃饭、坐车、走路、如厕、洗头时不断地写；搭飞机出国时，在飞机的座位上写；到医院看病打针时，在病床上写；到教堂做礼拜时，在教堂的长板凳上写。每分每刻每时写，每天每月每年写，数字愈来愈大，字串愈来愈长，艺术家这个人，是的，愈来愈老。

写“无边落木萧萧下，不尽长江滚滚来”的时候，杜甫不是在记录时间吗？唱“林花谢了春红，太匆匆”的人，不是在记录时间吗？伦勃朗一年一年画自画像，从少年轻狂画到满目苍凉——他不是在记录时间吗？

农业社会的人们认真地过春分秋分夏至冬至，难道不也是在一个看不见的门沿上，秘密地，一刀一刀刻下时间的印记？

所以跨年的狂欢，聚集，倒数，恐怕也是一种时间的集体仪式吧？都市里的人，灯火太亮，已经不再习惯看星星的移动和潮汐的涨落，他们只能抓住一个日期，在那一个晚上，用美酒、音乐和烟火，借着人群的吆喝彼此壮胆，在那看不见的门沿量尺上，刻下一刀。

凌晨四时，整个清迈小城在宁静的沉睡中，二〇〇八年悄悄开始。我们行装齐整，离开了旅店，在黑夜中上路，往泰寮边界出发。五个小时的蜿蜒山道，两天的慢船河路，冷冽的空气使人清醒。我在想，在古老的湄公河上啊，时间用什么测量？

距 离

从泰老边村茴塞，到老挝古城琅勃拉邦，距离有多远？

地图上的比例尺告诉你，大约两百公里。指的是，飞机在空中从一个点到另一个点的直线距离。两百公里，需要多少时间去跨越？

在思考这个问题时，我已经坐在琅勃拉邦古城一个街头的小咖啡馆，街对面是旧时老挝公主的故居，现在是旅店。粉红的夹竹桃开得满树斑斓，落下的花瓣散在长廊下的红木地板上。你几乎可以想象穿着绣花鞋的婢女踮着脚尖悄悄走过长廊的姿态，她揽一揽遮住了眼睛的头发。头发有茉莉花的淡香。

老挝的天空蓝得很深，阳光金黄，一只黑丝绒色的蝴蝶正从殷红的九重葛花丛里飞出，穿过铁栏杆，一眨眼就飞到了我的咖啡杯旁。如果它必须规规矩矩从大门走，到达我的咖啡杯的距离，可不一样。

茴塞是泰老边境湄公河畔的小村。一条泥土路，三间茅草屋，婴儿绑在背上的妇女两腿叉开蹲在地上用木柴生火。一个衣衫褴褛的孩子肩上一根扁担正挑着两桶水，一步一拐举步艰难地走在泥地上；凶悍的火鸡正在啄两只打败了却又逃不走的公鸡。茴塞，没有机场，因此空中的两百公里只是理论而已。

如果有公路，那么把空中的两百公里拿下来，像直绳变丝巾一样拉长，沿着起伏的山脉贴上，变成千回百转的山路，换算下来就是四百公里。四百公里山路，从茴塞到古城，无数的九弯十八拐，需要多少时间去横过？

这个问题同样没有意义，因为，贫穷的寮国山中没有公路。从茴塞，走湄公河水路是唯一抵达古城的方法。

湄公河这条会呼吸的大地丝带，总长四千两百公里。其中一千八百六十五公里穿过山与山之间润泽了老挝干涸的土地。从茴塞到琅勃拉邦的水路，大概是三百公里。这三百公里的水路，需要多少时间去克服？

本地人说，坐船吧。每天只有一班船，趁着天光，一天行驶七八九个小时，天黑了可以在一个河畔山村过一夜，第二天再走七八九个小时，晚上便可以抵达古城。

我们于是上了这样一条长得像根香蕉的大木船。茴塞没有码头，船老大把一根木条搭在船身和河岸上，我们就背负着行李巍巍颤颤地走过。村民或赤足或趿塑料拖鞋，重物驮在肩上，佝偻着上船。鸡笼鸭笼米袋杂货堆上了舱顶，摩托车脚踏车拖上船头，旅客们拥挤地坐在木板凳上。木板又硬又冷，不耐艰辛时，人们干脆滑下来歪躺到地板上。没有窗，所以河风直直扑面终日冷呛，但是因为没有窗，所以湄公河三百公里的一草木一岩石、一回旋一激荡，历历在眼前。

没有人能告诉你，三百公里的湄公河水路需要多少时间，因为，湄公河两岸有村落，当船老大看见沙滩上有人等船，他就把船靠岸。从很远的地方望见船的影子，村落里的孩子们丢开手边的活或者正在玩的东西，从四面八方狂奔下来。他们狂奔的身子后面掀起一阵黄沙。

孩子们的皮肤晒得很黑，身上如果有蔽体的衣衫，大致都已磨得稀薄，或撕成碎条。比较小的男孩，几乎都光着身子，依偎在哥哥姐姐的身旁，天真地看着人。每经过一个村，就有一群孩子狂奔到水湄，睁着黑亮的眼睛，望着船上金发碧眼的背包客。船上有一个欧洲的孩子，卷卷的睫毛，苹果似的脸颊，在年轻的父母身上爱娇地扭来扭去，咯咯笑个不停。讲荷兰语的父母让孩子穿上寮国的传统服装，肥肥手臂上还套着金光闪闪的手环，像个部落的王子。

本地人说，坐船吧。每天只有一班船，趁着天光，一天行驶七八九个小时，天黑了可以在一个河畔山村过一夜，第二天再走七八九个小时，晚上便可以抵达古城。

每经过一个村子，就有一群孩子狂奔过来。他们不伸出手要糖果，只是站在沙上石上，大大的眼睛，深深地看。这里是老挝，几近百分之五十的人不识字。这些湄公河畔的孩子，也没有学校可去。他们只是每天在大河畔跟着父母种地、打鱼，跟伙伴们在沙里踢球。然后每天经过一次的船，船上有很多外国人，是一天的重大记事。

这些孩子，距离船里那打扮得像个老挝王子的欧洲孩子又有多远？可不可测量？

苏 麦

朋友说，到了琅勃拉邦你一定要去找苏麦，他的法国餐馆就在小学对面，有敞开的透明厨房。老挝那么多年是法国殖民地，法国餐厅很道地的。

老街就那么一条，学校就那么一间，我们一下子就站在那透明的法国厨房前了。找苏麦？小伙子遥指对街。街上只有一只黄狗躺在街心，两个撑着黑伞的僧人走过，鲜黄色的袈裟在风里飘动。苏麦正坐在一株菩提树下，刚好转过身来看着我们。

法国餐厅中午不开伙，你们要晚上来，苏麦说。但是，如果不介意，要不要跟我一起吃午餐呢，就在这里？

菩提树下，苏麦坐在一条矮板凳上，小食摊的主人坐在他对面，是个背有点驼的老者。食摊上有深绿色的香蕉叶，黏滋滋的糯米饭，整条的烤鱼，各种渍菜和不认识的香料。我们愉快地坐下，用手抓饭。

操场上有孩子们大声嬉笑、打闹追逐的声音，脚踏车辚辚踩过，摩托车噗噗驶过，操各种语言的旅客像小溪一样流过——大多是欧洲来的年轻背包客，不能“吃苦”的人不会来老挝旅游。大概街心有点热了，黄狗抖了下身躯，摇摇摆摆来到了食摊边，无聊地趴下。阳光把一圈一圈浮动的光影从菩提叶与叶之间花花洒下来。

苏麦费力地讲英语，带着浓浓的法国腔。他五岁就到了法国，二十二岁才回老挝结婚，但是二十八岁那年老挝革命成功，他流亡法国，一去又是三十年。如今是叶老又归根，回到古镇，晚上掌厨，白天就无所事事。

第二天早上，我看见苏麦坐在咖啡馆里和一个英国人吃早点，聊天。

第三天中午，我看见苏麦在街上散步，戴着帽子，毛衣从后面披挂在脖子上，做潇洒状，乍看完全是个法国人。是的，连生活情调都是法国的。

第三天晚上，我们在他的餐馆吃饭，坐在人行道的小桌上，一边吃饭，喝红酒，一边看来往过路的人，还有对面那株看起来有几百岁的老菩提。能这样慢慢地过时间，有一种幸福的感觉在我心里慢慢、慢慢晕开来……

我们在夜空下坐到很晚。人都散了，苏麦拿出他的相本，放在小桌上。一张一张看，二十二岁的结婚照片，苏麦穿着笔挺雪白的礼服，像个太年轻的海军上将，眼睛圆圆的，带着一种稚嫩的骄傲感。堆满食物的婚宴长桌旁，是老挝公主和她的家族。这是苏麦的父亲，父亲是企业家，他身旁，站的是美国驻老挝大使。那一张，是苏麦站在老挝王储身边，这一张，是内政部长和苏麦的新婚妻子，喔，是的，妻子是老挝驻联合国大使的幼女。“这个身材苗条的法国妇人啊？”苏麦说，“牵着我的手，我五岁，刚到法国。她是我的法国保姆。”

苏麦给我们添酒，自己也倒了一杯。他的眼睛，有一种温暖，他讲话的声音，很轻，很慢，很平静。厨房也静了，帮忙的小助手们已经回家，灯火已灭。我把相簿合上。苏麦正把他的厨师白色高帽折起，放到一边。

“一九七五年流亡到法国的时候，”苏麦啜一口红酒，眼睛看着酒杯里紫红的酒液，酒液是否沾黏酒杯，行家看得出酒的好坏，“我这个巴黎大学国际政治系的毕业生一九七五年是从餐馆里洗盘子开始的。”

苏麦有两个人生，前半生和后半生。不，还有现在的落叶归根，那是第三个人生了。他温煦的眼睛看着十八岁的华飞，微微地笑，一点也不觉得十八岁的人可能会听不懂，他说，佛家是接受一切的。我的前半生是个王子，后半生

我的前半生是个王子，后半生是个乞丐，但是王子和乞丐像一条河的上游和下游，其实一直同时存在，只是当下不知道而已。

是个乞丐，但是王子和乞丐像一条河的上游和下游，其实一直同时存在，只是当下不知道而已。现在都过去了，我可以说，是的，我都知道了，而一切，都是好的。

菩提树下是空的。我发现，那食摊不知什么时候早就收了。驼背的老头也不见了。

莲 花

很多孩子。皮肤黑、眼睛亮的孩子。观光客还不是这么多，所以孩子们并不冲着你跑过来，伸出手说，“一美金。给我一美金。”他们自顾自地玩。我看见小学放学，一百多个孩子不整齐地聚拢在操场上，七嘴八舌凌乱地唱歌，我猜是国歌，因为唱完之后，敬礼，两个小毛头在司令台上各站一边，扯动扯动，一面破破的国旗就从那旗杆上慢慢被扯下来了。另一个小毛头在台上咕噜咕噜说了什么口号，孩子们忽然就轰一下四散。大部分奔向校门口正在等候的家人，小部分留下来，又开始在操场上追逐，掀起一阵尘土。两个小男生，爬上了墙头，面对着老街，有一会儿没一会儿地说话，踢着腿。

一个更小的男孩，在路边和哥哥烧木柴。捡出一小节松果大小的燃着星火的柴，手里拿着一条柳枝，开始抽打那小火球，姿态像那高贵的人在打高尔夫球。两兄弟就那么一路追着火球打，打过街去了。

琅勃拉邦夹在南康河和湄公河交汇的地方，是个半岛。小小一个不到三万人的小镇，却有三十多座寺庙。即使联合国不指定它为文化遗产，你来了，也看得出这小镇不寻常。从湄公河这一边，上岸处的石阶竟然如此宏伟气魄，有帝国的架式。低头专心拾梯直上，一抬头就看见大庙，黑色的沉潜肃穆，金色的激越灿烂，把激越灿烂织入沉潜肃穆中，美得强烈。

穿过大庙庭院，到南康河岸，河岸石栏竟然还完整。在每一个引向河床的石阶入口，都有一枚石雕的莲花。佛经用来形容莲花的四个词，“一香、二净、三柔软、四可爱”，我倒觉得适合拿来形容婴儿，其纯洁光明，大概也是一致的。

立在岸上远眺南康河，对岸树林浓郁，草木葱然。水流平静，在黄昏的柔光里，像一条发亮的丝带，汩汩汇入湄公。河床积土上，农人在耕种，渔人在撒网，孩子们在奔跑踢球，几头水牛从河里站了起来，走向沙岸，激起一堆水鸟哗然而散。我想起《起世经》里描写宇宙的起源：

> 彼诸山中。有种种河。百道流散。平顺向下。渐渐安行。不缓不急。无有波浪。其岸不深。平浅易涉。其水清澄。众华覆上。阔半由旬。水流遍满。诸河两岸。有种种林。随水而生。枝叶映覆。种种香华。种种杂果。青草弥布。众鸟和鸣。

一个僧人从我身边走过。

河床上传来快乐的呼喊，大大小小的孩子们赤脚踢球，激起一阵黄沙。

《起世经》是这么写的，但是我手上的这本德文书告诉我，这个国家的六百万人，平均寿命不到五十五岁，一半的孩子长期营养不良，将近百分之四十的人，没有学可上，不识字。

另一本书告诉我，在一九六四年到一九七三年的十年之间，美国的轰炸机飞来这里五十八万趟，丢下了两百万公吨的火药，是“二战”时轰炸德国的两倍分量。那时的寮国只有三百多万人，因此平均每人所“获得”的火药量是军事史上前所未有的。

并没有人和老挝开战，是美国为了打越共，便在老挝丢了八千万个集束弹。称“集束弹”，好像在说一束花，其实就是一个“母弹”丢下去可以开出十几个到上百个“子弹”来，散至各处，扩大范围。一个“子弹”像一个网球那么大。

彼诸山中。有种种河。百道流散。平顺向下。渐渐安行。不缓不急。无有波浪。其岸不深。平浅易涉。其水清澄。

八千万个集束弹丢进这莲花的国度，问题是，百分之十到百分之三十的集束弹不会顿时开炸，而是滚落到森林里，默默躺在草丛里，等候战争结束，等候十年、二十年、三十年后，农民来除草开垦时，或者孩子们闯来追兔子时，突然爆开。

也就是说，轰炸了十年之后，美国的轰炸机终于在一九七三年走了，但是在老挝的土地上留下了可能高达两千四百万枚随时可以引爆的炸弹。二〇〇三年回头数的时候，老挝人发现，在没有战争的三十年里，五千七百个人被炸死，五千六百个人被炸伤残废。还有大眼睛的水牛，在稻田里吞了炸弹而爆炸。

远远有两个孩子玩着过来了。是那对兄弟，一人一枝柳条，在轮流抽打一个松果大的小火球，跟着火球跑。

慢看

好友从贵州考察回来，印象最深刻的，竟然是这一幕：他看见数十农人耕种，另外有数十农人蹲在田埂上看这数十人耕种，从日出，到日落，日复一日。学者受不了了——难道一批人工作，需要另一批人监督？他跑到田边去问那蹲着的人："你们为什么看他们耕作？"

蹲着的人仍旧蹲着，抽着烟，眼睛仍旧蒙蒙地看着田里，用浓重的乡音说，"就是看呀。"

"为什么看呢？"

"没事干啊！"

学者明白了。一亩地，那几个人也就够了，其他的人真的没活可干，就到那田埂上，蹲着，可能潜意识里也是一种"同舟共济"的表达吧。

蹲着的人们这回转过头来，奇怪地看着他，然后问他为何发此问。

香港来的学者倒愣住了。他要怎么回答呢？说，因为蹲在田埂上什么也不做，是一种浪费？说，"没事干"是是是——是件不可想象的事，因为无论在香港、台湾还是新加坡或美国，每个人一辈子都在努力干事，"没事干"是件……是件可怕的事。

他要怎么说呢？

于是我想起另一个故事，地点是非洲。一个为红十字工作的欧洲人到了非洲某国，每天起床还是维持他的运动习惯：慢跑。

他一面跑，一面发现，一个当地人跑过来，跟着他跑，十分关切地问他："出了什么事？"

欧洲人边喘息边说："没出事。"

非洲人万分惊讶地说："没出事？没出事为什么要跑？"

这个欧洲人当场傻了。他要怎么解释？因为他总是坐在开着冷气或暖气的办公室里头一个开着的电脑前面，他的皮肤很少被阳光照到，他的手很嫩、肩膀很僵硬、腰很酸，因为没有身体的劳动，因此他必须依靠"跑步"来强制他的肌肉运动？他是不是要进一步解释，欧洲人和非洲人，因为都市化的程度不同，所以生活形态不同，所以"跑步"这个东西，呃……不是因为"出了事"。

好友在说贵州人蹲一整天没事干，就是抽着烟望向漠漠的田地时，我发现自己的灵魂悠然走神，竟然叹息起来，说："就是蹲在田埂上看田，唉，真好。"

我知道，我在向往一个境界。

慢的境界。

和华飞走东南亚十五天，出发前就做好了心理调适：慢。

当你到了码头，没有一个办公室贴着时刻表，也没有一个人可以用权威的声音告诉你几点可以到达终点，你就上船，然后就找一条看起来最舒服的板凳坐下来，带着从此在此一生一世的心情。你发现你根本不去想何时抵达，连念头都没有。你看那流动的河，静默却显然又隐藏着巨大的爆发力，你看那沙滩上晒太阳的灰色的水牛，你看孩子们从山坡上奔下来，你看阳光在芦苇白头上刷出一丝一丝的金线，你看一个漩涡的条纹，一条一条地数……

从琅勃拉邦到吴哥窟的飞机，突然说延误三个小时，人们连动都不动一下。因为预期就是这样，于是你闲适地把机场商店从头到尾看一遍，把每一个金属大象，每一盒香料，每一串项链，每一条丝巾，都拿到手上，看它、触它、嗅它、

我想有一个家，家前有土，土上可种植丝瓜，丝瓜沿竿而爬，迎光开出巨朵黄花，花谢结果，累累棚上。我就坐在那黄泥土地上，看丝瓜身上一粒粒突起的青色疙瘩，慢看……

感觉它。反正就是这样，时间怎么流都可以。任何一个时刻，任何一个地方，都是安身立命的好时刻，好地方。

我想有一个家，家前有土，土上可种植丝瓜，丝瓜沿竿而爬，迎光开出巨朵黄花，花谢结果，累累棚上。我就坐在那黄泥土地上，看丝瓜身上一粒粒突起的青色疙瘩，慢看……

III

满山遍野茶树开花

其实不是鞋，是布。布，剪成脚的形状，一层一层叠起来，一针一针缝进去，缝成一片厚厚的布鞋底。原来或许有什么花色已不可知，你看它只是一片褪色的洗白。

幽冥

“爸爸，是我。你今天怎么样？”

“牙齿痛。不能吃东西。”

“有没有出去走路呢？昨晚睡得好不好？”

你每晚做梦，一样的梦。

不知道是怎么来到这一片旷野的。天很黑，没有星，辨别不出东西南北。没有任何一点尘世的灯光能让你感觉村子的存在。夜晚的草丛里应该有虫鸣，侧耳听，却是一片死寂。你在等，看是不是会听见一双翅膀的振动，或者蚯蚓的腹部爬过草叶的窣窣声，也没有。夜雾凉凉的，试探着伸手往虚空里一抓，只感觉手臂冰冷。

一般的平原，在尽处总有森林，森林黝黑的棱线在夜空里起伏，和天空就组成有暗示意义的构图，但是今天这旷野静寂得多么蹊跷，声音消失了，线条消失了，天空的黑，像一洼不见底的深潭。范围不知有多大，延伸不知有多远，这旷野，究竟有没有边？

眼睛熟悉了黑暗，张开眼，看见的还是黑暗。于是把视线收回，开始用其他的感官去探索自己存在的位置。张开皮肤上的汗毛，等风。风，倒真的细细微微过来了。风拂着你仰起的脸颊。你闭着眼努力谛听：风是否也吹过远处一片玉米田，那无数的绿色阔叶在风里晃荡翻转，刷刷作响，声音会随着风的波动传来？那么玉米田至少和你同一个世代同一个空间，那么你至少不是无所依附幽荡在虚无大气之中？

可是一股森森的阴冷从脚边缭绕浮起，你不敢将脚伸出即使是一步——你强烈地感觉自己处在一种倾斜的边缘，深渊的临界，旷野不是平面延伸出去而是陡然削面直下，不知道是怎么来到这里的，甚至退路在哪里，是否在身后，也很怀疑，突然之间，觉得地，在下陷……

你一震，醒来的时候，仍旧闭着眼，感觉光刺激着眼睑，但是神智恍惚着，想不起自己是在哪里？哪一个国家，哪一个城市，自己是在生命的哪一段——二十岁？四十岁？做什么工作，跟什么人在一起？开始隐约觉得，右边，不远的地方，应该有一条河，是，在一个有河的城里。你慢慢微调自己的知觉，可是，自己住过不止一个有河的城市——河，从哪里来？

意识，自遥远、遥远处一点一点回来，像一粒星子从光年以外，回来得很——慢。睁开眼睛，向有光的方向望去，看见窗上有防盗铁条，铁条外一株芒果树，上面挂满了青皮的芒果。一只长尾大鸟从窗前掠过，翅膀闪动的声音让你听见，好像默片突然有了配音。

你认得了。

缴械

“爸爸，是我。今天怎么样？做了什么？”
“在写字。礼拜天你回不回来吃饭？”
“不行呢，我要开会。”

你说，“爸爸，把钥匙给我吧？”

他背对着你，好像没听见。抱着一个很大的塑料水壶，水的重量压得他把腰弯下来。几盆芦荟长得肥厚油亮，瘦瘦的香椿长出了茂盛的叶子。

本来要到花市去买百合的，却看见这株孤零零不起眼的小树，细细的树干上长了几片营养不良的叶子，被放在一大片惊红骇紫的玫瑰和菊花旁边，无人理会。花农在一块硬纸板上歪歪斜斜地写了两个字，“香椿”。花市喧声鼎沸，人贴着人，你在人流中突然停住脚步，凝视那两个字。小的时候，母亲讲到香椿脸上就有一种特别的光彩，好像整个故乡的回忆都浓缩在一个植物的气味里。原来它就长这样，长得真不怎么样。百合花不买了，叫了辆出租车，直奔桃园，一路捧着那盆营养不良的香椿。

“不要再开了吧？”

他仍旧把背对着你，阳台外强烈的阳光射进来，使他的头发一圈亮，身影却是一片黑，像轮廓剪影。他始终弯着身子在浇花。

八十岁的人，每天开车出去，买菜，看朋友，帮儿子跑腿，到邮局领个挂号包裹。每几个月就兴致勃勃地嚷着要开车带母亲去环岛。动不动就说要开车到台北来看你，你害怕，他却兴高采烈，“走建国高架，没有问题。我是很注意的，你放心好了。”没法放心，你坐他的车，两手紧抓着手环不放，全身紧绷，而且常常闭住气，免得失声惊叫。他确实很小心，整个上半身几乎贴在驾驶盘上，脖子努力往前伸，全神贯注，开得很慢，慢到一个程度，该走时他还在打量前后来车；人家以为他不走了，他却突然往前冲。一冲就撞上前面的摩托车，一个菜篮子摔了下来，番茄滚了一地，被车子碾过，一地烂红。

再过一阵子，听说是撞上了电线杆。母亲在那头说：“吓死哩人喽。你爸爸把油门当作刹车你相不相信！”车头撞扁了，一修就是八万块。又过了几个月，电话又来了；他的车突然紧急刹车，为了闪避前面的沙石卡车。电话那一头不是“吓死哩人喽”的母亲；母亲已经在医院里——刹车的力道太猛，她的整个手臂给扭断了。

兄弟们说，“你去，你去办这件事。我们都不敢跟他开口。爸爸只听女儿的话。”

黄昏的光影透过纱门薄薄洒在木质地板上，客厅的灯没开，室内显得昏暗，如此的安静，你竟然听见墙上电钟窣窣行走的声音。

他坐在那片黄昏的阴影里，一言不发，先递过来汽车钥匙，然后把行车执照放在茶几上，你的面前。

“要出门就叫出租车，好吗？”你说，“再怎么坐车，也坐不到八万块的。”

他没说话。

你把钥匙和行车执照放在一个大信封里，用舌头舔一下，封死。“好吗？”你大声地再问，一定要从他嘴里听到他的承诺。

他轻轻地说：“好。”缩进沙发里，不再做声。

你走出门的时候，长长舒了口气，对自己有一种满意，好像刚刚让一个骁勇善战又无恶不作的游击队头子和平缴了械。

你不知道的是，一辈子节俭、舍不得叫出租车的他，从此不再出门。

“礼拜天可不可以跟我去开同学会？”他突然在后面大声对你说，隔着正在徐徐关上的铁门。铁门“哐当”一声关上，你想他可能没听见你“没时间”的回答。

年轻过

“爸爸是我，吃过饭了吗？”

“吃不下。”

“不管吃不吃得下，都要吃啊。你瘦了很多。”

秘书递过来一张小纸条：“议会马上开始，要迟到了。”可是，信箱里有十八岁的儿子的电邮，你急着读：

妈，我要告诉你今晚发生的事情。

我今晚开车到了朋友家，大概有十来个好朋友聚在一起聊天。快毕业了，大家都特别珍惜这最后的半年。我们刚刚看完一个电影，吃了叫来的“披萨”，杯盘狼藉，然后三三两两坐着躺着说笑。这时候，我接到老爸的电话——他劈头就大骂：“他妈的你怎么把车开走了？”

自从拿到了驾照之后，我就一直在开家里那辆小吉普车，那是我们家多出来的一辆车。我就说：“没人说我不可以开啊。”他就说：“我有没有跟你说过晚上不准开车？我有没有跟你说过你经验不足，晚上不准开车？”我就说：“可是我跟朋友的约会在城里，十公里路又没巴士，你要我怎么去？”他就更生气地吼：“把车马上给我开回家。”我很火，我说：“那你自己过来城里把车开回去！”

他一直在咆哮，我真受不了。

当然，我必须承认，他会这么生气是因为——我还没告诉过你，两个月前我出了一个小车祸。我倒车的时候擦撞了一辆路旁停着的车，我们赔了几千块钱。他因此就对我很不放心。我本来就很受不了他坐在我旁边看我开车，两个眼睛盯着我每一个动作，没有一个动作他是满意的。现在可好了，我简直一无是处。

可是我是小心的。我不解的是，奇怪，难道他没经过这个阶段吗？难道他一生下来就会开车上路吗？他年轻的时候甚至还翻过车——车子冲出公路，整个翻过来。他没有年轻过吗？

我的整个晚上都泡汤了，心情恶劣到极点。我觉得，成年人不记得年轻是怎么回事，他们太自以为是了。

秘书塞过来第二张纸条：再不出发要彻底迟到了，“后果不堪设想”。你匆忙地键入“回复”：

孩子，原谅他，凡是出于爱的急切都是可以原谅的。我要赶去议会，晚上再谈。

议会里，一片硝烟戾气。语言被当作武器来耍，而且都是狼牙棒、重锤铁链之类的凶器。你在抽屉里放一本《心经》，一本《柏拉图谈苏格拉底》，一本《庄子》；你一边闪躲语言的锤击，一边拉开抽屉看经文美丽的字：

……是诸法空相　不生不灭　不垢不净　不增不减　是故空中无色　无受想行识　无眼耳鼻舌身意　无色生香味触法　无眼界　乃至无意识界　无无明　亦无无明尽　乃至无老死　亦无老死尽　无苦集灭道　无智亦无得……

深呼吸，你深深呼吸，眼睛看这些藏着秘密的美丽的字，不生不灭不垢不净，你就可以一苇渡过。可是粗暴的语言、轰炸的音量，像裂开的钢丝对脆弱的神经施以鞭刑。你焦躁不安。

这时候，电话响起，一把抢过听筒，以为十万火急的资料已经送到，你急促不耐几近凶悍地说“喂”——那一头，却是他悠悠的湖南乡音说：“女儿啊，我是爸爸——”慢条斯理的，是那种要细细跟你聊一整个下午倾诉的语调，你像恶狗一样对着话筒吠出一声短促的“怎么样，有事吗？”

他被吓了回去，语无伦次地说：“这个——这个礼拜天——可不可以——我是说，可不可以同我去参加宪兵同学会？”

你停止呼吸片刻——不行，我要精神崩溃了，我无眼耳鼻舌身意无色生香味触法——然后把气徐徐吐出，调节一下心跳。好像躲在战壕里注视从头上呼啸而来的炮火，你觉得口喉干裂，说不出话来。

那一头苍老的声音，怯怯地继续说：“几个老同学，宪兵学校十八期的，我们一年才见一次面。特别希望见到我的女儿，你能不能陪爸爸去吃个饭？”

女人

“爸爸是我，今天好吗？”

“好啊。”

“有出门吗？可以叫出租车啊，你可不可以不要省钱？”

牵着妈妈的手，逛街。她很抗拒，说，“街上人这么多——”

“你就是要习惯跟这么多人挤来挤去，妈妈，你已经窝在家里几年了，见到什么都怕。你要出来练习练习，重新习惯外面的世界。不然，你会老得更快，退缩得更快。”你边说，边意识到，自己愈来愈像个社工辅导员。

她紧紧抓着你的手。

地铁站里的手扶电梯“嚓嚓嚓嚓”地滚动，你才发现那速度有多快；你一手环着她的腰，一手紧抓她的手，站在入口处，如临深渊，看准了不会踩空的一阶，赶忙带她踏上。“嚓嚓嚓嚓”像一列上了刺刀、跑步中的军队。地铁站里万人攒动，每个人都在奔忙赶路，她不停地说：“人这么多，人这么多……”

坐下来喝杯凉茶，你说：“带你回杭州老家好吗？”

“不去，”她说，“他们都死了，去干什么呢？”

“那个表妹也死了吗？”

“死了。她还比我小三岁。都死了。”

那个“都”字，包括一起长大的兄弟姊妹，包括情同姊妹的丫头，包括扎辫子时的同学，包括所有唤她小名的同代同龄人。

“那么去看看苏堤白堤，看看桃红柳绿，还可以吃香椿炒蛋，不是很好吗？”

她淡淡地看着你，眼睛竟然亮得像透明的玻璃珠，幽幽地说：“你爸爸走了，这些，有什么意思呢？”

那么我们去香港，去深圳。我们去买衣服？

你开始留意商店，有没有，专门卖适合八十岁妇人的衣服？有没有，专门想吸引这个年龄层的商店？有没有，在书店里，一整排大字体书，告诉你八十岁的人要如何穿，如何吃，如何运动，如何交友，如何与孤独相处，如何面对失去，如何准备……自己的告别？有没有电影光盘，一整排列出，主题都是八十岁人的悲欢离合，是的，八十岁女性的内心世界，她的情和欲、她的爱和悔、她的时光褪不去的缠绵、她和时光的拔河？有没有这样的商店、这样的商品，你可以买回去，晚上和她共享？

经过鞋店，她停下脚，认真地看着橱窗里的鞋。你鼓励她买双鞋，然后发现，她指着一双俏丽的高跟鞋。

“妈，你年纪大，有跟的鞋不能穿了，会跌倒。老人家不能跌倒。”

“喔——”

她又拿起一只鞋，而且有点不舍地抚摸尖尖的镶着金边的鞋头。

“妈，”你说，“这也是有跟的，不能啦。”

她将鞋放下。

你挑了一双平底圆头软垫的鞋，捧到她面前。

她坚决地摇头，说，“难看。”那不屑的表情，你很久没看到过了，也因此让你忽然记得，是啊，她曾经多么爱美。皮肤细细白白的杭州姑娘和你并肩立在梳妆镜前，她摸着自己的脸颊，看着自己，看着你，说：“女儿，你看我六十五岁了，还不难看吧？”

“不难看。你比我还好看呢——老妖精。”

她像小姑娘一样笑，“女儿，给你买了一样东西。”她弯腰从抽屉里拿出一个没开封的盒子，放在你手里，“你一定要吃。”

你看那粉红色的纸盒，画着一个娇娆裸露的女人，脸上一种暧昧的幸福。你不可置信地看着她，她正对你眯眯微笑，带着她所有的慈爱。“仙桃丸”，是隆乳的药。

“你那里太平了嘛！”她说。

你想脱口而出“神经病啊你”，突然想到什么转而问：“那你……你吃这个啊？”

又回到人流里，你开始看人。你在找，这满街的人，有多少是她的同代人？睁大眼睛看，密切地看。没有，走过一百个人也不见得看见一个八十岁的人走在其中。想到自己到西门町的感觉，在那里，五十岁的你觉得自己格格不入是异类，或者说，满街都是“非我族类”。那么她呢？不只一个西门町，对她，是不是整个世界都已经被陌生人占领，是不是一种江山变色，一种被迫流亡，一种完全无法抵抗的放逐，一种秘密进行的、决绝的众叛亲离?

经过电影院，你仔细看那上演中和即将放映的片子——有没有，不是打打砸砸，不是同性恋或间谍，不是外星毁灭计划或情仇谋杀，而是既简单又深沉，能让八十岁的人不觉得自己被世界“删除”掉的片子？有没有?

“回去吧。”她突然说。

“不行，”你一直牵着她的手，现在，你转过头来注视她，“一定要给你买到一件你喜欢的衣服和鞋子我们才回去。”

“都死了。”

“谁？谁都死了？”

“我那些同学，还有同乡，周褒英，赵淑兰，余叶飞，还有我名字想不起来的……”

为什么，你问她，为什么，在红尘滚滚的香港闹街上，突然想起这个?

“没有办法，”她声音很轻，几乎听不见，“就是没有办法。”

一群中学女生叽叽喳喳、推来挤去地闹着，在一个卖串烧的小摊前。一个身材特别高挑的正在统筹，数着谁要吃什么，该付多少钱。有人讲了什么话，引起一阵夸张的爆笑和推挤。你很惊讶：香港竟还有女学生制服是蓝色的阴丹士林旗袍，脚上穿着白袜布鞋。

假 牙

“喂——吃过饭吗？”

“听见吗？听见我说话吗？我是你女儿——”

“我说，你——吃——过——饭——吗？是不是听筒拿倒了你？”

“你的假牙呢？”

她拿下了假牙，两颊瘪下来，嘴唇缩皱成一团。原来，任何没了牙齿的人，都长得一样：像一个放得太久没吃的苹果，布上一层灰，还塌下来皱成一团，愈皱愈缩。而且不管男的女的，牙齿卸下来以后，长相都变得一样，像童话里的女巫……

她很靦觍地，如同一个被发现偷了钱的小孩，将假牙从衣服口袋里拿出来摊在手心，让你检查。

玛丽亚在一旁说：“她用刀子去砍假牙。”

你傻了。

“她说，”玛丽亚的国语有印尼腔，“假牙痛，不俗服，所依就拿剪刀去锉，还拿刀子去砍。假牙不好，她要修假牙。”玛丽亚气气的，有点当面告状的意思。

你说：“把假牙交给我，我来处理。”她不好意思地笑着，温驯地将假牙放在你手里。

“假牙不舒服的话，要医生去修，自己不能动手的。好吗？”

她已经走到阳台，兀自坐在白色的铁椅上，面朝着浅蓝色的大海；从室内看出去，她的身影是黑的，阳光照亮了一圈她的头发。

她走路那么轻，说话那么弱，对你是新鲜的事。记忆中，任何时候、任何场合，她总是那个笑得最大声，动作最夸张的一个。少女时代，你还常因为她太“放肆”、太“野”，而觉得“挺丢脸的，这样的妈”。她笑，是笑得前仰后合，笑得直拍自己的大腿，笑得把脚悬空乱踢，像个“疯婆子”一样。也因为她的“野”，你和她说话有一种特殊的自由。那一年，她拿了你新出的小说过来，边摇头边说，“女儿啊，你这一本书，我是不敢送给朋友的。”

“嗄，为什么？”

她打开书，指着其中一页，说：“喏，你自己读读看——”

街口，和往常一样，坐着三两个流浪汉……其中一个头发脏成一团的人叉开腿歪坐在地上。裤子显然已没有拉链，我不得不瞥见他的毛发和阳具……马匹经过眼前，滚动着一股气味，是干草和马汗的混合吧？倒有点像男人下体毛发的气味，说不上是好闻还是不好闻……

“怎么会写这种东西？”她想想，又认真地说：“你怎么知道‘辣里’——‘辣里’是什么气味？”杭州音，“那”是“辣”。

你也很认真地回答，“妈，你不知道‘那里’——‘那里’是什么气味？”

她笑了，大笑，笑得呛到了，断断续续说：“神经病！我‘喇里’晓得‘辣里’有什么气味。我是良家妇女。”

你等她笑停了，很严肃地看着她，说：“妈，你到七十岁了还不知道‘辣里’什么气味，确实有点糟。”你执起她的手，一本正经地说：“但是别慌，现在还来得及。”

“要死了——”她笑着骂你，而且像小女生一样拍打你；很大声地笑，很凶悍地拍打。

同学会

“是我，爸爸。今天好吗？什么痛？”

“脚痛，忍不住吃鸡，痛风又发了。”

“不是知道不能吃鸡吗？妈妈不是不准你吃吗？你偷吃的是吧？”

即使八十岁了，即使不穿军服了，还是看得出阶级。那被尊称为“将军”的，被拱到上位，腰杆儿挺直地坐下，人们不停地去向他敬酒；他坐着，敬酒的人站着，可能还歪歪地拄着拐杖。将军的脸上和别人一样，满布黑斑，但是眉宇间毕竟有几分矜持。

接到你电话说你已上路，他就摸着扶手颤颤巍巍下了楼来，站在饭店门口守候。远远看见你的座车，他就高举一只手臂，指挥司机的动线。下车时你告诉司机，“把公文带回府，两点准时来接我。”话没说完，他已经牵着你的手，准备带你上楼。你曾经很婉转地对他说：“我四十岁了，你不必牵我的手过街。”他说“好”，到了过街，他的手又伸了过来。后来你又很严肃地告诉他：“我已经五十岁了，你真的不必牵我的手过街。”他说“好”，到了过街，手又伸了过来。他的手，肥肥短短厚厚的，很暖。

然后有一天，一个个儿很高、腿很长很瘦的年轻人，就在那光天化日人来人往的大街上，很认真地对你说，“我已经十八岁了，你真的应该克制一下要牵我手过街的反射冲动。”

你当场愣在那里，然后眼泪巴巴流下，止不住地流。儿子顿时觉得丢脸极了，大步蹿过街到了对面，两手抄在裤袋里，盯自己的脚尖，一副和你毫不相干的样子。你被拥挤的车流堵在大街中线，隔着一重又一重的车顶远远看着对街儿子阳光下的头发，泛出一点光。你曾经怎样爱亲吻那小男孩的头发啊。他有那种圣诞卡片上常画的穿着睡衣跪着祈祷的小男孩的头型，天使般的脸颊，闻起来有肥皂清香的头发，贴着你的肩膀睡着时，你的手环着他圆滚滚的身体，觉得天地之大，幸福也不过就是怀抱里这小小的温柔。

就在那车水马龙一片滚动喧嚣中，你仿佛看见无边无际的空旷和荒凉，灰尘似的，自四面八方鬼魅般缓缓升起，渐渐聚拢。

司机把你在座车里批完的公文放进一个提袋，将车开走。你像绵羊一样让他牵着你的手，一步一步上楼去。

他很兴奋。这是第一次，你出现在他的同学面前。“将军”站起来和你敬酒——你赶忙求他坐下，心想，他为家国出生入死的时候，你还没出世呢。“团长”要你一本签名的书，“陈叔叔”要和你讨论《资治通鉴》以及今天的权力局势。一圈酒敬下来，你问他：“怎么潘叔叔今天没来？”

潘叔叔曾是英雄，在解放军围城的紧急中救了一城的父老。

“中风了，”他说，“脸都歪了。也不能走路。”

一个老人被人扶着过来敬酒，你赶忙站起来，而且倾过身去，想听懂老人在对你说什么，但是他口齿含混，你完全听不懂。

再度坐下来，发现自己碗中像小山一样堆满了肉——你曾经多么痛恨这湖南乡土的饮食习惯，一定要夹菜给别人，强迫进食，才算周到。你瞪了父亲一眼，发现他正在咕哝咕哝说什么，听了一会儿，才知道他在说刚刚那个口齿不清的老人。“当年可是我们学校的才子，会写诗，会唱歌，也很能带兵。现在很可怜，听说儿子还打他，打了跌在地上，骨头都跌断了。老同学也不晓得要怎么帮忙。”你抬眼去追看那“才子”，老人已在右边一张桌子坐下，吃着东西，弓着背，头垂得很低，几乎碰到桌沿的饭碗。“他叫什么名字？”你问。

有人拿了一本《湖南文献》过来，说：“这里有我的一首诗，请您指教。”你又赶忙站起来，恭敬地接过杂志。父亲双手举着酒杯，说：“学长的诗，那还用说吗？小女只有学习的份儿，哪里谈得上指教呢？”他的志得意满，实在掩藏不住。每一个谦虚的词，其实都是最夸张的炫耀。你忍耐着。

学长走了，他又夹了一块蹄髈肉到你满得不能再满的碗里，说：“你记不记得《滕王阁序》？”

“记得。”

“我们的才子也叫王勃。”

关山难越

“爸爸是我。喂——今天好吗？”

……

“今天好吗？你听见吗？你听见吗？说话呀——”

他念诗，用湘楚的古音悠扬吟哦：月落乌啼霜满天，江枫渔火对愁眠。他考你背诵：

天高地迥，觉宇宙之无穷；兴尽悲来，识盈虚之有数……关山难越，谁悲失路之人？萍水相逢，尽是他乡之客。

他要你写毛笔字，“肘子提起来，坐端正，腰挺直”：

“鹏之徙于南冥也，水击三千里，抟扶摇而上者九万里，去以六月息者也。”……野马也，尘埃也，生物之以息相吹也。天之苍苍，其正色邪？其远而无所至极邪？其视下也，亦若是则已矣。

十二岁的你问，“野马”是什么？“尘埃”是什么？是“野马”奔腾所以引起“尘埃”，还是“野马”就是“尘埃”？

他说，那指的是生命，生命不论如何辉煌跃动，都只是大地之气而已，如野马，如尘埃。但是没有关系，你长大了就自然会懂。

他要你朗诵《陈情表》。你不知道为什么，但是你没多问，也没反叛，因为，短发粗裙的你，多么喜欢字：

臣密言：臣以险衅，夙遭闵凶。生孩六月，慈父见背；行年四岁，舅夺母志。祖母刘愍臣孤弱，躬亲抚养。臣少多疾病，九岁不行，零丁孤苦，至于成立……茕茕独立，形影相吊。而刘夙婴疾病，常在床蓐。臣侍汤药，未曾废离……

他坐在一张破藤椅中，穿着一件白色汗衫，汗衫洗得稀薄了，你想“褴褛”

大概就是这个意思。天热，陈旧的电风扇在墙角吹，“嘎拉嘎拉”好像随时会解体散落。他用浓重的衡山乡音吟一句，你用标准国语跟一句。念到“茕茕独立，形影相吊”，他长叹一声，说，“可怜可悯啊，真是可怜可悯啊。”

然后，他突然要你把那只鞋从抽屉里取出来给他。

其实不是鞋，是布。布，剪成脚的形状，一层一层叠起来，一针一针缝进去，缝成一片厚厚的布鞋底。原来或许有什么花色已不可知，你看它只是一片褪色的洗白。太多次，他告诉你这“一只鞋底”的来历，你早已没兴趣。反正就是炮火已经打到什么江什么城了，火车已经不通了，他最后一次到衡山脚下去看他的母亲，他说“爱已”——湖南话称奶奶“爱已”，你“爱已”正在茶树林里捡柴火。临别时，在泥泞的黄土路上，“爱已”塞了这只鞋底进他怀里，眼泪涟涟地说，买不起布，攒下来的碎布只够缝一只鞋底。“儿啊，你要穿着它回来。”

他掏出手帕，那种方格子的棉布手帕，折叠得整整齐齐的，坐在那藤椅里，开始擦眼睛，眼泪还是滴在那只灰白的布鞋底上。

你推算一下，自己十二岁，那年他才四十六岁，比现在的你还年轻。离那战争的恐慌、国家的分裂、生离和死别之大恸，才十四年。穿着布鞋回家看娘的念头，恐怕还很认真很强烈。你记得，报纸上每天都有“寻人启事”，妻子找丈夫，父母寻子女；三天两头有人卧轨自杀，报导一概称为“无名尸体一具”。

他是不是很想跟你说话呢，在他命你取鞋的时候？突然又静默下来，是不是因为他看见了你幼稚兼不耐的眼神？

白天的他，穿着笔挺的呢料警官制服，英气勃勃地巡街。熟人聚集的时候，总会有人问母亲当年是否因为他如此英俊而嫁给他，母亲就斜眼睨着他，带几分得意，“是啊，他是穿着高筒皮靴，骑着马来到杭州的。到了我家的绸布庄，假装买东西，跟我搭讪……”他在一旁笑，“那个时候，想嫁给我的杭州小姐很多呢……”

乡下的街道充满了生活的琐碎和甜蜜。商店里琳琳琅琅的东西满到街上来，小贩当街烧烤的鱿鱼串、老婆婆晒太阳的长条板凳、大婶婆编了一半的渔网渔具、卖冬瓜茶和青草茶的大桶，挤挤挨挨占据着村里唯一的马路。有时候，几头黑毛猪摇摇摆摆过来，当街就软软趴下来晒太阳。庞大的客运巴士进村时，就被猪群堵在路中。你看见他率领着几个警员，吆喝着人们将东西靠边。时不时有人请他进去喝杯凉茶。你不知道他怎么和乡民沟通，他的闽南语不可能有人听懂，他的国语也常让人听了发笑。他的湖南音，你听着，却不屑学。你学的是一口标准国语，那种参加演讲比赛的国语。

晚上，他独自坐在日式宿舍的榻榻米上，一边读报，一边听《四郎探母》，总是在那几句跟唱："我好比笼中鸟，有翅难展；我好比虎离山，受了孤单；我好比浅水龙，困在了沙滩……"弦乐过门的时候，他就"得得了啷当"跟着哼伴奏，交叠的腿一晃一晃打着节拍。《四郎探母》简直就是你整个成长的背景音乐，熟习它的每一个字、每一个音，但是你要等候四十年，才明白它的意思。

会不会，当"爱己"将布鞋塞进他怀里的时候，他也是极其不耐的呢？会不会，他也要过数十年，白山黑水艰辛涉尽，无路可回头的时候，他也才蓦然明白过来？

你要两个在异国生长的外孙去亲近爷爷，讨爷爷欢心。两兄弟不甘愿地说，"我们跟他没有话说啊。而且，他不太说话了。"是啊，确实不知什么时候开始的，他走路的步子慢了，一向挺直的背脊有点儿驼了，话，越来越少了。坐在沙发上，就融入模糊的背景里。奇怪，他的失语，何时开始的？显然有一段时候了，你竟然没发现。

这样，你说，你们两个去比赛，谁的话题能让"也爷"把话盒子打开，谁就赢。一百块。

老大懂得多，一连抛出几个题目想引他说话，他都以单音节回答，"嗯"。"好"。"不错"。

你提示老大，"问他的家乡有什么。"老大说："也爷你的家乡有什么？"他突然把垂下的头抬起来，说："有……油茶，开白色的花，油茶花。"

"还有呢？"

“还有……蜥蜴。”

“什么？蜥蜴？”两个孩子都竖起了耳朵，“什么样的蜥蜴？变色龙吗？”

“灰色的，”他说，“可是背上有一条蓝色的花，很鲜的蓝色条纹。”

他又陷入沉默，不管孩子怎么挑逗。

你对老二使一个眼色，附在他耳边悄声说：“问他，问他小时候跟他妈怎么样——”

老二就用脆脆的童音说：“也爷，你小时候跟你妈怎样啊？”

“我妈妈？”他坐直，声音也亮了一点，“我告诉你们听啊——”

孩子们发现奏效了，瞅着你偷笑，脚在桌子底下你一脚我一脚，踹来踹去。

“有一天，我从学校回家，下很大的雪——从学校回家要走两个小时山路。雪很白，把我眼睛刺花了，看不见。到家是又冷又饿，我的妈妈端给我一碗白米饭——”他站了起来，用身体及动作示意他和妈妈的位置。

孩子们笑翻了，老大压低声音抗议，“不行，一百块要跟我分，妈妈帮你作弊的——”

“我接过妈妈手里的饭碗，想要把碗放在桌上，可是眼睛花了，没有想到，没放到桌上，‘空’的一声碗打到地上破掉了，饭也洒在地上了。”

老二正要回踢哥哥，被他哥哥严厉地“嘘”了一声要他安静；“也爷”正流着眼泪，哽咽地说：“我妈妈好伤心喔。她不知道我眼花，她以为我嫌没有菜，只有饭，以为我生气所以把碗打了。她自己一整天冻得手都是紫青色的，只能吃稀饭，干饭留给我吃，结果呢，我把唯一的一碗饭打在地上。她是抱头痛哭啊……”

他泣不成声，说：“我对不起我妈——”

孩子们张大眼睛看着你，不知所措。

他慢慢坐回沙发，低头擦着眼角。你起身给他倒了一杯温开水，说：“爸爸，你教孙子们念诗好不好？”说完又被自己的声音吓一跳，怎么这么大声。

一阵奇怪的沉默之后，他突然说：“好啊，就教他们‘白日依山尽’吧？”

老 子

“爸爸是我。今天好不好？”

“我说，你今天好——不——好？”

“妈，他说什么？为什么我听不懂他说什么？他怎么了？”

“老师要我做一个报告，介绍老子。妈，你知道老子吗？”

你惊讶。十三岁的欧洲小孩，老师要他们懂老子？

“知道啊。妈妈的床头就有他的书。”

“嗄？怎么这么巧？”孩子的声音已经变了，在越洋电话里低沉得像牛蛙在水底咳嗽的那种声音，“那老子是真正的有名喽？！”

“对啊，”你伸手去拿《道德经》，“三千年来都是畅销作家啊。”

“难怪啊，在德文网络上我已经找到八千多条跟‘老子’有关联的……”

你趴在床上，胸前压着枕头，一手抓着话筒，开始用中文辅以德语对孩子解释“天下莫柔弱于水，而攻坚强者莫之能胜，以其无以易之。柔之胜刚，弱之胜强，天下莫不知”。

每天的“万里通话”要结束了，孩子突然说：“喝牛奶了没有？”

“嗯？”你没会意，他又说：“刷了牙吗？”

你说，“还没——”他打断你：“功课作了吗？有没有吃维他命？电视有没有看太多？衣服穿得够不够？”

你听得愣住了，他说：“妈，你没交什么坏朋友吧？”

电话里有一段故意的留白，你忽然明白了，大声地抗议：“你很坏。你在教训妈。”

孩子不怀好意地嘿嘿地笑：“我只是以其人之道还治其人之身。一年三百六十五天，你每天打电话就是这样问我的，你现在应该知道你有多可笑了吧？”

你一时答不出话来，他乘胜追击说：“我不是小小孩了你什么时候才会搞懂啊？”

你结结巴巴地：“妈妈很难调整——”

他说：“你看你看，譬如说，你对我说话还在用第三人称称自己，‘妈妈要出门了’，‘妈妈回来了’……喂，你什么时候停止用第三人称跟我说话啊？我早就不是你的 Baby 了。”

你跟他“认错”，答应要“检讨”，“改进”。

“还有，”他说：“在别人面前，不可以再叫我的乳名了。好丢脸。”

你放下电话，你坐在那床沿发怔，觉得仿佛有件什么事情已经发生了，一件蛮重大的事情，但一时也想不清楚发生的究竟是件什么事，也理不清心里的一种慌慌的感觉。你干脆不想了，走到浴室里去刷牙，满嘴泡沫时，一抬头看见镜里的自己，太久没有细看这张脸，现在看起来有点陌生。你发现，嘴角两侧的笑纹很深，而且往下延伸，脸颊上的肉下垂，于是在嘴角两侧就形成两个微微鼓起的小袋。你盯着这张脸看，心想，可好，这跟老虎的脸有点像了。继续刷牙。

走 路

“妈妈，是我，爸爸能说话吗？”

“一天都没说一句话。”

“把听筒给他，我还是试试看吧。”

终于等到了一个走得开的礼拜天，赶去桃园看他。你吓了一跳，他坐在矮矮的沙发里，头低低地佝着，好像脖子撑不住头的重量。你唤他，他勉强地将头抬起，看你，那眼神是混浊涣散的。你愣了一下，然后记起买来的衣服，你把衣服一件一件摊开。

你去桃园的街上找他可以穿的衣服。大多是年轻少女的衣服，百货店里的男人衣服也太“现代”了。他是那种一套衣服不穿到彻底破烂不认为应该买新衣服的人。出门时，却又一贯地穿戴整齐，衬衣雪白，领带端正，深色笔挺的西装，仅有的一套，穿了二十年也不愿意多买一套。

你在街上走了很久，然后突然在一条窄巷前停下来。那其实连巷都称不上，是楼与楼之间的一条缝，缝里有一个摊子，堆得满满的，挂着蓝色的棉袄、毛背心、卫生衣卫生裤。一个戴着棉帽的老头，坐在一张凳子上，缩着脖子摩擦着手，一副惊冷怕冻的模样。你不敢相信，这是童年熟悉的镜头——外省老乡卖棉袄棉裤棉衣。

带着浓厚东北腔的老乡钻进“缝”里拿出了你指名要的东西：棉袜，棉裤，贴身的内衣，白衬衫，褚红色的羊毛背心，深蓝色的羊毛罩衫，宝蓝色棉袄，灰色的棉帽，褐色的围巾，毛织手套。全都包好了，你想了想，问他：“有没有棉布鞋啊？黑色的？”

老头从塑料袋里拿出一双黑布鞋。你拿了一只放在手掌上看，它真像一艘湘江上看到的乌篷船，如果“爱己”的鞋垫完成了，大概就是这样一只鞋吧。

你和母亲将买来的衣服一件一件、一层一层为他穿上，折腾了半天。最后穿上棉鞋。他微笑了，点头说：“很好。合脚。”

你要陪他出去散步，发现他无法从沙发里站立起来。他的身体向右边微微倾斜，口涎也就从右边的嘴角流出。他必须由你用两只手臂去拉，才能从沙发起身。他的腿不听脑的指挥，所以脚步怎么都迈不出去。他的手，发抖。

在客厅里，和他面对面站立，你用双手拉起他的双手，说：“来，跟着我走。

左——”

他极其艰难地推出一只脚，“右——”另一只脚，却无法动弹。

“再来一次，一……二……左……右……”

他显然用尽了力气，脸都涨红了，可是寸步维艰。你等着，等他脑里的指令到达他的脚底，突然听见街上叫卖“肉粽”苍老的唱声，从远而近。黄昏的光，又照亮了柚木地板。母亲忧愁地坐在一旁，盯着你看。你又听见那钟在窣窣行走的声音。麻将桌仍在那钟下，牌仍摊开在桌上，但是，乱七八糟堆在那里，像垮掉的城墙。

“这样，”你回过神来，手仍旧紧紧抓着他的手，“我们念诗来走路。准备走喽，开始！白—日—依—山—尽……”

他竟然真的动了，一个字一步，他往前跨，你倒退着走，“黄—河—入—海—流……”

千辛万苦，你们走到了纱窗边，“转弯——”

“欲—穷—千—里—目，更—上——一—层—楼。”

母亲在一旁兴奋地鼓起掌来，“走了，走了，他能走啊。”你用眼角看她，几乎是披头散发的，还穿着早晨的睡衣。

“转弯——月—落—乌—啼—霜—满—天，再来，江—枫—渔—火……”

他专心地盯着自己的脚，你引他向前而自己倒退着走；是啊，孩子的手肥肥嫩嫩的，手臂一节一节的肉，圆圆的脸庞仰望着你，开心地笑，你往后退，“来，跟妈妈走，板凳歪歪——上面—坐个——乖乖，乖乖出来——赛跑——上面坐个——小鸟——小鸟出来——撒尿——”他咯咯笑，短短肥肥的腿，有点跟不上。

“来，最后一遍。爸爸你慢慢来，开步喽，少——小——离——家——老——大——回，再来，乡——音——无——改——鬓——毛——衰——转弯，儿童相见——不相识……”

眼睛

“喂——是我，妈妈，他——今天怎么样？”

“今天好一点，可是一整天，他眼睛都是闭起来的。”

“他有说话吗？”

你虎着脸瞪着玛丽亚，“你是怎么帮他洗脸的呢？帕子一抹就算了？”

他坐在沙发。你手里拿着一只细棉花棒，沾水，用手指拨开他的红肿的眼皮，然后用棉花棒清他的眼睑内侧。

“一直说他眼睛不打开，”你在发怒，“你就看不出是因为长期的眼屎没洗净，把眼睛糊住了吗？”

清洗过后，他睁开眼睛。母亲在一旁笑了，“开眼了，开眼了。”

眼睑仍有点红肿，但是眼睛睁开了，看着你，带着点清澄的笑意。你坐下来，握着他的手，心里在颤抖。兄弟们每天打电话问候，但是透过电话不可能看见他的眼睛。你也来探过他好多次，为什么在这“好多次”里都没发觉他的眼睛愈来愈小，最后被自己的眼屎糊住了？你，你们，什么时候，曾经专注地凝视过他？

他老了，所以背佝偻了，理所当然。牙不能咬了，理所当然。脚不能走了，理所当然。突然之间不再说话了，理所当然。你们从他身边走过，陪他吃一顿饭，扶着他坐下，跟他说“再见”的每一次当下，曾经认真地注视过他吗？

“老”的意思，就是失去了人的注视，任何人的注视？

你突然回头去看母亲，她的头发枯黄，像一撮冬天的干草，横七竖八顶在头上。眼睛里带着病态的焦虑——她，倒是直勾勾地注视着他，强烈、燃烧、带点发狂似的注视着他，嘴里喃喃地说，“同我说话，你同我说话。我一个人怎么活，你同我说话呀。”

窗外有人在打篮球，球蹦在地面的声音一拍一拍传上来，特别显得单调。天色暗了，你将灯打开。

语 言

“是我。他今天怎样？”

……

手机也打开，二十四小时打开，放在家里的床头，放在旅馆的夜灯旁，放在成堆的红色急件公文边，放在行李的外层，静音之后放在会议进行的麦克风旁，走路时放在手可伸到的口袋里。夜里，手机的小灯在黑暗中一闪一灭，一闪一灭，像急诊室里的警告灯。

你推着他的轮椅到外面透气。医院像个大公园，植了一列一列的树，开出了黄心白瓣的鸡蛋花，香气弥漫花径。穿着白衣大褂的弟弟刚刚赶去处理一个自杀的病人，你看着他匆忙的背影，在一株龙眼树后消失。是痛苦看得太多了，使得他习惯面对痛苦不动声色？是作为儿子和作为医生有角色的冲突，使得他努力控制自己的情感而对父亲的衰败不动声色？你在病房里，在父亲的病榻边，看自己的兄弟与医师讨论自己父亲的病情，那神情，一贯的职业的冷静。你心里在问：他看见什么？在每天"处理"痛苦，每天"处理"死亡的人眼里，"父亲病重"这件事，会因为他的职业而变轻了，还是，会把他已经视为寻常的痛苦，变重了？无法问，但是你看见他的白发。你心目中"年幼"的弟弟，神情凝重，听着病历，额头上一撮白发。

"回想起来，"他若有所思地说，"他的急遽退化，是从我们不让他开车之后开始的。"

你怔住了，久久不能说话；揉揉干涩的眼睛，太累了。

拾起一朵仍然鲜艳但是已经颓然坠地的鸡蛋花，凑到他鼻尖，说："你闻。"他抬不起头来，你亦不知他是否仍有嗅觉，你把花搁在他毛毯覆盖的腿上，就在这个时候，你发现，稀黄流质的屎，已经从他裤管流出，湿了他的棉袜。

在浴室里，你用一块温毛巾，擦他的身体。本该最丰满的臀部，在他身上萎缩得像两片皱巴巴的扇子，只有皮，没有肉。全身的肉，都干了。黄色的稀屎粘到你衣服上，擦不掉。

让他重新躺好，把被子盖上，你轻轻在他耳边说："我要回台北了，下午有会。三点的飞机。过几天再飞来高雄看你好不好？"

你去抱一抱妈妈，亲亲她的头，她没反应，木木地坐着床边。你转身提起行李，走到病房门口，却听见哭泣声，父亲突然像小孩一样地放声痛哭，哭得很伤心。

喇嘛要你写下他的名字和生辰，以便为他祝福，然后你们面对面席地而坐。你专注地看着喇嘛——他比你还年轻，他知道什么你不知道的秘密吗？

你有点不安，明显地不习惯这样的场合，你低着头，不知从哪里说起，然后决定很直接地说出自己来此的目的："我们都没有宗教信仰，也没真正接触过宗教。我觉得他心里有恐惧，但是我没有'语言'可以安慰他或支持他。我想知道，您建议我做什么？"

你带着几本书，一个香袋离开；昨晚的梦里，又是一片无边无际的旷野，你滑进深不可测的黑洞，不，你不想马上回到办公室里去，你沿着河堤走。艳丽无比的绯红色紫荆花在风里摇曳，阳光照出飘在空气里的细细花絮，公园里有孩子在嬉闹。你很专心地走，走着走着，到了一片荒野河岸，芦草杂生，野藤乱爬，你立在河岸上眺望，竟不知这是这个城市里的什么地方。

注 视

喂——今天怎么样？

喂——今天怎么样？

喂——今天……

是最后的时刻了吗？是要分手的时刻了吗？

老天，你为什么没教过我这生死的一课？你什么都教了我，却竟然略过这最基本、最重大的第一课？

他的喉咙有一个洞，插着管子。他的手臂上、胸上，一条一条管线连着机器，机器撑着他的心脏跳动，使得他急促而规律地呼吸。他的眼睛，睁得大大的，但是眼神一片空茫。他看不见你们，但是你想，他一定听得见，一定听得见。你紧紧握着他的手——那手，有点浮肿。你亲亲他的额头，凑近他的耳……

没有，你没有学到那个生命的语言——来不及了。你仍旧只能用你们之间熟悉的语言，你说：爸爸，大家都在这里了，你放下吧，放下吧。不就是尘埃野马吗？不就是天高地迥，觉宇宙之无穷；兴尽悲来，识盈虚之有数吗？在河的对岸等候你的，不就是你朝思暮想的“爱己”吗？你不是说，楚之南有冥灵者，以五百岁为春，五百岁为秋；你不是说，上古有大椿者，以八千岁为春，八千岁为秋？去吧，带着我们所有的爱，带着我们最深的感恩，上路吧，父亲你上路吧。

他的嘴不能言语，他的眼睛不能传神，他的手不能动弹，他的心跳愈来愈微弱，他已经失去了所有能够和你们感应的密码，但是你天打雷劈地肯定：他心中不舍，他心中留恋，他想触摸、想拥抱、想流泪、想爱……

你告诉自己：注视他，注视他，注视他的离去，因为你要记得他此生此世最后的容貌。

佛经的诵声响起，人们将他裹在一条黄色的缎巾里。你坐在他的身旁。八个小时，人们说，诵八个小时的经不断，让他的魂安下来。他躺在你面前，黄巾盖着他的脸。是的，这是一具尸体，但是，你感觉他是那么的亲爱，你想伸手去握他的手，给他一点温暖；你想站起来再去亲亲他的脸颊、摸一下他的额头测测体温；你希望他翻个身、咳嗽一下；你想再度拥抱他瘦弱的肩膀，给他一点力量，但是你不动。你看见血水逐渐渗透了缎巾，印出深色的斑点。到第六个小时，你开始闻到淡淡的气味。你认真地辨识这个气味，将它牢牢记住。你注视。

对面坐着从各地赶来助诵的人们，披着黑色的袈裟，神情肃穆。你想到：这些人，大概都经历过你此刻所经历的吧？是这个经历，促使他们赶来，为一个不认识的人、一个不认识的遗体，送别？死亡，是一个秘密会社的暗语吗？因为经历了死亡，所以可以一言不发就明白了一切的一切吗？

八个小时过后，缎巾揭开，你看见了他的脸。“不要怕，”有人说，“一定很庄严的。”他显得丰满，眼睛闭着，是那种，你所熟悉的，晚上读古文的时候若有所思的表情。

有人来问，是否为他穿上“寿衣”。你说，不，他要穿你们为他准备好的远行的衣裳：棉袜，棉裤，贴身的内衣，白衬衫，褚红色的羊毛背心，深蓝色的羊毛罩衫，宝蓝色棉袄，灰色的棉帽，褐色的围巾，毛织手套，还有，那双黑色的棉鞋。

从冰柜里取出，解冻，你再看见他，缩了，脸，整个瘪下去，已是一张干枯的死人的脸。你用无限的深情，注视这张腐坏的脸。手套，因为手指僵硬，弄了很久才戴上。你摸摸他的脚，棉鞋也有点松了，你将它穿好。你环着母亲的腰，说：“妈，你看，他穿得暖暖的走。”她衰弱得只能勉强站着，没说话。

关 机

“喂——今天做了什么？”

“你是谁？”

“我是谁？妈妈，你听不出我是谁？”

你大量地逛街，享受秋天的阳光大把大把瀑洒在脸上、在眼睫毛之间的灿亮温暖的感觉。你不去中环，那儿全是行色匆匆、衣冠楚楚的人。你不去铜锣湾，那儿挤满了头发染成各种颜色不满十八岁的人。你在上环的老街老巷里穿梭。一个脑后梳着发髻的老奶奶坐在书报摊上打着盹，头低低垂在胸前。一个老头坐在骑楼里做针线，你凑近去看，是一件西装，他正在一针一线地缝边。一个背都驼了的老婆婆低头在一只垃圾箱里翻找东西。一对老夫妻蹲在人行道上做工。你站着看了好一会儿。有七十多岁了吧？老太太在一张榻榻米大的铝板上画线，准备切割；老先生手里高举着锤子，一锤一锤敲打着铝片折叠处。把人行道当工厂，两个老人在手制铝箱。

你在楼梯街的一节台阶坐下，怔怔地想，人，怎么会不见了呢？你就是到北极、到非洲沙漠、到美洲丛林，到最神秘的百慕大三角，到最遥远最罕无人迹的冰山、到地球的天涯海角，你总有个去处啊。你到了那里，要放下行李，要挪动你的身体，要找杯水喝。你有一个东西叫做“身体”，“身体”无论如何要有个地方放置；一个登记的地址，一串数字组成的号码，一个时间，一个地点，一杯还有点温度的茶杯，半截抽过的香烟，丢在垃圾桶里擤过鼻涕的卫生纸，一张写着电话号码的撕纸，一根掉落在枕头上的头发，一个私章，一张剪过的车票，一张黏在玻璃垫下已久的照片，怎么也撕不下来，总而言之，一个“在”。

然后，无论你去了哪里，去了多久，你他妈的总要回来，不是吗？

你望着大街——这满街可都是人啊，但是，但是他在哪里？告诉我，他“去”了哪里？总该有个交代、有个留言、有个什么解释吧？就是半夜里被秘密警察带走了，你也能要求一个“说法”吧？对一个人的下落，你怎么可以……什么讯息都没有的消失呢？

“空”——“空”怎么能算“存在”呢？

几个孩子在推挤嬉笑，开始比赛爬楼梯街。你站起来，让出空间，继续走，继续看，继续寻找。你停在一家参药行前面，细看那千奇百怪的东西。你走进一家古董店，里面卖的全是清朝的各种木器：洗脚盆、抽屉、化妆盒、米箱、饭桶……你在一对雕花木橱前细细看那花的雕工。

你洗脸，刷牙，擦乳液，梳头发，剪指甲。到厨房里，煎了两个蛋，烤了一片面包，一面吃早点，一面摊开报纸：伊拉克战事，苏丹战事，朝鲜核危机，温室效应，煤矿爆炸，蓝绿对决，夫妻烧炭自杀……你走到阳台，看见一只孤单的老鹰在空中翱翔，速度很慢，风大猎猎地撑开它的翅膀，海面的落日挥霍无度地染红了海水。

睡前，你关了手机。

冬，一九一八

“喂——妈妈今天好不好？”

“她在沙发上睡着了。”

“你要注意一下，我觉得她最近讲话有点牛头不对马嘴。”

月亮升到海面上的时候，你坐到计算机前，开始写：

我们的父亲，出生在一九一八年的冬天。

然后脑子一片空白，写不下去。你停下来，漫游似的想，一九一八年的世界，发生了什么事情？大战刚刚结束，俄国刚发生了革命，段祺瑞向日本借款，“欣然同意”将山东交给日本。日本大举进兵海参崴。两千万人因流感而死，中国有全村全县死光的。那，是一个怎样的冬天啊。

我们不知道，这个出生在南岳衡山脚下的孩子是怎么活下来的。湖南的冬天，很冷；下着大雪。孩子的家，家徒四壁。

我们不知道，七岁的父亲是怎么上学的。他怎么能够孤独地走两个小时的山路而不害怕？回到家时，天都黑了。

我们不知道，十六岁、稚气未脱的父亲是怎么向他的母亲辞别的；独生子，从此天涯漂泊，再也回不了头。

我们不知道，当他带着宪兵连在兵荒马乱中维持秩序，当敌人的炮火节节逼近时，他怎么还会在夜里读古文、念唐诗？

我们不知道，在一九五〇年夏天，当他的船离开烽火焦黑的海南岛时，他是否已有预感，从此见不到那喊着他小名的母亲；是否已有预感，要等候四十年才能重新找回他留在家乡的长子？

我们不知道，当他，和我们的母亲，在往后的日子里，必须历尽千辛万苦才能将四个孩子养大成人，当他们为我们的学费必须低声下气向邻居借贷的时候，是不是曾经脆弱过？是不是曾经想放弃？

我们记得父亲在灯下教我们背诵《陈情表》。念到高龄祖母无人奉养时，他自己流下眼泪。我们记得父亲在灯下教我们背诵《出师表》。他的眼睛总是湿的。

我们记得，当我们的母亲生病时，他如何在旁奉汤奉药，寸步不离。

我们记得他如何教我们堂堂正正做人，君子不欺暗室。我们记得他如何退回人们藏在礼盒底的红包，又如何将自己口袋里最后一叠微薄的钱给了比他更窘迫的朋友。

我们记得他的暴躁，我们记得他的固执，但是我们更记得他的温暖、他的仁厚。他的眼睛毫不迟疑地告诉你：父亲的爱，没有条件，没有尽头。

他和我们坚韧无比的母亲，在贫穷和战乱的狂风暴雨中撑起一面巨大的伞；撑着伞的手也许因为暴雨的重荷而颤抖，但是我们在伞下安全地长大，长大到有一天我们忽然发现：背诵《陈情表》，他其实是在教我们对人心存仁爱；背诵《出师表》，他其实是在教我们对社会心存责任。

兄弟们以各自不同的方式仁爱处人、忠诚处事，但是那撑着伞的人，要我们辞别，而且是永别。

人生本来就是旅程。夫妻、父子、父女一场，情再深，义再厚，也是电光石火，青草叶上一点露水，只是，在我们心中，有万分不舍：那撑伞的人啊，自己是离乱时代的孤儿，委屈了自己，成全了别人。儿女的感恩、妻子的思念，他已惘然。我们只好相信：蜡烛烧完了，烛光，在我们心里，陪着我们，继续旅程。

在一条我们看不见、但是与我们的旅途平行的路上，爸爸，请慢慢走。白日依山尽，黄河入海流。欲穷千里目，更上一层楼。

你正要将写好的存入文档，一个键按错，突然冒出一片空白。赶忙再按几个键，却怎么也找不着了；文字，被你彻底删除。

魂归

“喂——今天好吗？《心经》写了吗？”

“太久没写字，很多字都不认得了。”

“试试看，妈妈，你试试看。”

这是他十六岁时离开的山沟沟里的家乡。“爱已”要他挑着两个箩筐到市场买菜，市场里刚好有人在招少年兵，他放下扁担就跟着走了。

今天带他回来，刚好是七十年后。

有两个人在门前挖井。一个人在地面上，接地面下那个人挖出来的泥土，泥土用一个辘轳拉上来，倾倒到一只竹畚箕里，两个满了，他就用扁担挑走。很重，他摇摇晃晃地走，肩头被扁担压出两条肉的深沟。地面下那个人，太深太黑了，看不见，只隐隐听见他咳嗽的声音，从井底传来。“缺水，”挑土的人气喘喘地说，“两个多月了。没水喝了。”

“你们两个人，”你问，“一天挣多少钱？”

“九十块，两个人分。”

“挖井危险啊，”你说，“有时会碰到沼气。”

那人笑笑，露出缺牙，“没办法啊。”

灰扑扑的客运车卷起一股尘土而来，停住，一个人背着一个花圈下了车。花圈都是纸扎的，金碧辉煌，艳丽无比，但是轻，背起来像个巨大的纸风车。乡人穿着洗得灰白的蓝布褂，破旧的鞋子布满尘土。

父亲的照片放在厅堂中央，苍蝇到处飞舞，粘在挽联上，猛一看以为是小楷。

大哥，那被历史绑架了的长子，唤你。“族长们，”他说，“要和你说话。”

你跟着他走到屋后，空地上已经围坐着一圈乡人。母亲也坐着，冰冷着脸。

像公审一样，一张小凳子，等着你去坐下。

女人蹲在地上洗菜，本来大声喧嚣的，现在安静下来。一种尴尬又紧张的气氛，连狗都不叫了。看起来辈分最高的乡人清清喉咙，吸了口烟，开始说话：“我们明白你们不想铺张的意思，但是我们认为既然回到家乡安葬，我们还是有我们的习俗同规矩。我们是要三天三夜的。不能没有道士道场，不能没有花鼓队，而且，家乡的习俗，儿女不能亲手埋了父母的，那骨灰要由八个人或者十二个人抬到山上去，要雇人的。不这么做就是违背家族传统。”

十几张脸孔，极其严肃地对着你，讨一个道理。十几张脸孔，黝黑的、劳苦的、满是生活磨难的脸孔，对着你。这些人，你心里说，都是他的族人。如果他十六岁那年没走，他就是这些人的伙伴了。

母亲寒着脸，说："他也可以不回来。"你赶忙握紧她的手。

你极尽温柔地解释，佛事已在岛上做过，父亲一生反对繁文缛节，若要铺张，是违背他的意愿，你不敢相从。花鼓若是湘楚风俗，当然尊重。至于雇别人送上山，"对不起，做儿女的不舍得。我们要亲自捧着父亲的骨灰，用自己的手带他入土。"

"最后一次接触父亲的机会，我们不会以任何理由给任何别人代劳。"

你清朗地注视他们的眼睛，想从那古老的眼睛里看见父亲的神情。

这一天清晨，是他上山的日子。天灰灰的，竟然有点湿润的雨意。乡人奔走相告，苦旱之后，如望云霓。来到这陌生的地方，你一滴眼泪都不掉。但是当司仪用湘音唱起"上——香"，你震惊了。那是他与"爱己"说话的声音，那是他教你念"秋水共长天一色，落霞与孤鹜齐飞"的腔调，那是他的湘楚之音。当司仪长长地唱"拜——"时，你深深跪下，眼泪决堤。是，千古以来，他们就一定是以这样悲怆的楚音招魂的：

> 魂兮归来，君无上天些。虎豹九关，啄害下人些。一夫九首，拔木九千些……归来归来，往恐危身些……魂兮归来，君无下此幽都些。土伯九约，其角觺觺些……归来归来，恐自遗灾些……魂兮归来，反故居些。

当他说闽南语而引得人们哈哈大笑时，当他说北京话而令人们面面相觑时，他为什么不曾为自己辩护：在这里，他的楚音与天地山川一样幽深，与苍天鬼神一样宏大？司仪的每一个音，都像父亲念《陈情表》的音，婉转凄楚，每一个音都重创你。此时此刻，你方才理解了他灵魂的漂泊，此时此刻，你方才明白他何以为《四郎探母》泪下，此时此刻你方才明白：他是真的回到家了。

花鼓队都是面带沧桑的中年妇女，一身素白，立在风中，衣袂飘扬。由远而近传来唢呐的声音，混着锣鼓。走得够近了，你看清了乐师，是十来个老人，戴着蓝布帽，穿着农民的蓝布褂，佝偻着背，铿锵铿锵吹打而来。那最老的，他们指给你看，是他的儿时玩伴。十六岁那年两个人一起去了市场，一个走了，一个回来。

天空飘起微微雨丝，湿润的空气混了泥土的气息。花鼓队开始上路，兄长捧着骨灰坛，你扶着母亲，两公里的路她坚持用走的。从很远就可以看见田埂上有人在奔跑，从红砖砌成的农舍跑出，往大路奔来，手里环抱着一大卷沉重的鞭炮。队伍经过田埂与大路的接口时，她也已跑到了路口，点起鞭炮，劈里啪啦的炮声激起一阵浓烟。长孙在路口对那跑得上气不接下气的妇女跪下深深一拜。你远远看见，下一个田埂上又有人在奔跑。每一个路口都响起一阵明亮的炮声，一阵烟雾弥漫。两公里的路，此起彼落的鞭炮夹杂着“咚咚”鼓声，竟像是一种喜庆。

到最后一个路口，鞭炮震耳响起，长孙跪在泥土中向村人行礼，在烟雾弥漫中，你终于知晓：对这山沟里的人而言，今天，村里走失的那个十六岁的孩子，终于回来了。七十年的天翻地覆，物换星移，不过是一个下午去市场买菜的时间。

满山遍野的茶树，盛开着花，满山遍野一片白花。你们扶着母亲走下山。她的鞋子裹了一层黄泥。“擦擦好吗？”兄弟问。“不要。”她的眼光看着远处的祝融山峰；风，吹乱了她的头发。

下山的路上你折了一枝茶花，用手帕包起。泥土路上一只细长的蜥蜴正经过，你站到一边让路给它，看着它静静爬过，背上真的有一条火焰的蓝色。

二〇〇四年十二月十七日于沙湾径完稿

二〇〇八年五月十九日于阳明山修订